CAHIER D'ACTIVITÉS

Claude Pruvot-Büttner

HACHETTE F.L.E.
58, rue Jean-Bleuzen
92170 Vanves

Collection de français À USAGE PROFESSIONNEL

2 Niveaux

LE FRANÇAIS À GRANDE VITESSE

Matériel
- Un livre de l'élève
- Trois cassettes collectives (2h30)
- Un guide pédagogique
- Un cahier d'activités

OBJECTIF ENTREPRISE

Matériel
- Un livre de l'élève
- Une cassette pour le livre (45 mn)
- Un cahier d'exercices
- Une cassette pour le cahier (45 mn)
- Un guide pédagogique

Maquette intérieure et réalisation PAO : Barbara Slowik, Atelier S., Munich.
Photo de couverture : SNCF-CAV, J.-J. d'Angelo.

ISBN : 2 01 155084 X

Talking Business French © ST (P) Ltd. 1992. Authors S. Truscott, M. Mitchell.
Édition originale par Stanley Thornes (Publishers) Ltd., Cheltenham, Angleterre, 1992.

Avant-propos

Le cahier d'activités du FRANÇAIS *à Grande Vitesse* propose un ensemble très varié d'exercices de vocabulaire et de grammaire, ainsi qu'un entraînement à la production orale et écrite, en situation professionnelle.

Ces exercices sont un bon complément à l'enseignement fait en cours. Ils ont été conçus avant tout comme un outil de tavail personnel, à utiliser essentiellement en autonomie pour revoir ce qu'on a appris, le renforcer, l'approfondir et le systématiser.
Devant chaque groupe d'exercices est indiquée la page du livre LE FRANÇAIS *à Grande Vitesse* à laquelle ils se réfèrent. Vous pourrez ainsi revoir le dialogue, les exercices, la note culturelle ou le point de grammaire traités.
Ce système permet également de travailler le contenu de la leçon seul, si vous n'avez pas pu suivre le cours. Afin de ne pas multiplier les difficultés, les exercices n'utilisent que des mots déjà vus dans l'unité du livre correspondante.
L'unité 15 étant conçue comme une révision, elle ne contient pas de notions nouvelles et n'apparaît donc pas ici.

Les corrigés des exercices, proposés à partir de la page 60, vous permettront de tester facilement et rapidement vos progrès.

Nous vous souhaitons un bon et fructueux travail.

Sommaire

UNITÉ 1
ENCHANTÉ

Pages 9 à 16

Exercice 1

Vous connaissez sans doute tous ces mots. Mais sont-ils masculins ou féminins ?
Inscrivez-les dans la colonne correspondante. Si vous ne savez pas, regardez dans votre dictionnaire.

couture radio champagne mode vin bistro parfum baguette croissant camembert tour Eiffel restaurant pain tour de France cuisine bonbon boutique mer Méditerranée métro santé

masculin	féminin
le vin	*la couture*
....	....
....	....
....	....
....	....
....	....
....	....
....	....
....	....
....	....

Exercice 2

► Après exercice 2, page 11 

Trouvez dans la grille les six autres adjectifs masculins puis écrivez-les au féminin.

j	a	l	l	e	m	a	n	d	o
a	m	e	x	i	c	a	i	n	b
m	é	j	a	p	o	n	a	p	e
f	r	a	n	ç	a	i	s	o	l
r	i	p	s	u	v	t	i	l	g
z	c	o	i	s	w	a	d	o	x
j	a	n	f	r	a	l	g	n	e
c	i	a	i	m	y	i	u	a	k
p	n	i	j	o	h	e	m	i	x
r	o	s	d	u	s	n	e	s	o

adjectifs masculins	adjectifs féminins
allemand	*allemande*
....	....
....	....
....	....
....	....
....	....
....	....

Exercice 3

► Après exercice 4, page 11

Complétez le dialogue à l'aide des mots suivants :

merci suis de qui arrive avec m'appelle le directeur de la part rendez-vous madame de l'usine

À la réception de l'entreprise Spagnotti :

M. Macroni : Bonjour, madame . J'ai .... madame Rivoli .

La réceptionniste : C'est .... ?

M. Macroni : Je .... Luc Macroni . Je .... Nouilli .

La réceptionniste : Madame Rivoli ....

M. Macroni : .... , ...

Exercice 4

► Après exercice 6, page 12

Formez des phrases à l'aide des mots suivants :

Exemple : Julie Lescot / France / ingénieur / Rouen

➣ *Elle s'appelle Julie Lescot. Elle est française. Elle est ingénieur. Elle habite Rouen.*

1. Paul Bittner / Allemagne / comptable / Cologne

....

2. Jacquie Kassley / Amérique / chef du personnel / New-York

....

3. Claudia Attoli / Italie / secrétaire / Venise

....

4. Robert Macuk / Pologne / chef de publicité / Varsovie

....

5. Yoko Hito / Japon / chef de ventes / Osaka

....

6. Maria Kahlo / Mexique / réceptionniste / Mérida

....

Exercice 5

Complétez les phrases avec les articles.

le la les un une des

1. Louis Lumière, ... directeur de .... société Néon, ... entreprise française, a rendez-vous avec Yoko Yaka, ... homme d'affaires japonais. 2. Yoko Yaka a .... usines électroniques et .... banques. 3. Il est heureux de faire .... connaissance de Louis Lumière. 4. Il rencontre aussi .... chefs de publicité et du personnel de .... société.

► Après la grammaire, page 14 

Exercice 6

Trouvez le pronom personnel.

1.	*Nous*	a.	.... m'appelle Anne Joli.
2.	*Elle*	b.	.... téléphones à Gérard.
3.	*Je*	c.	.... rencontrent le P-DG.
4.	*Vous*	d.	.... visite l'usine.
5.	*Tu*	e.	.... travaillons chez ITEX.
6.	*On*	f.	.... avez un rendez-vous.
7.	*Ils*	g.	.... est japonaise.

Exercice 7

Écrivez le pronom personnel qui convient. Parfois deux, trois ou quatre solutions sont possibles.

1. .... arrivons à Marseille.
2. .... sont heureuses de faire votre connaissance.
3. .... ont une nouvelle politique de management.
4. .... téléphonez à madame Rioul.
5. .... présentes Claire au directeur.
6. .... travaillent pour la société ITEX.
7. .... rencontre la comptable.
8. .... a rendez-vous avec Julie.
9. .... sommes mexicains.

Exercice 8

Trouvez la forme des verbes.

1. Vous .... madame Lionel ? *(être)*
2. Non, je .... Marie-Chantal Jaspin. *(s'appeler)*
3. Vous .... rendez-vous ? *(avoir)*
4. Oui, avec monsieur et madame Charic. Je .... la nouvelle secrétaire. *(être)*
5. Ils .... *(arriver)*

Exercice 9

Trouvez le verbe et sa forme correcte.

1. John et Betty .... américains.
2. Claudia et Claudio .... pour la société Nickel.
3. Alain Dumont .... rendez-vous avec le chef du personnel.
4. Nous .... secrétaires chez Elektrolook.
5. Monsieur et madame Lebeau .... Strasbourg.
6. Vous .... le nouveau directeur ?
7. Nous .... la maison mère et .... le directeur général.
8. Tu .... à monsieur Richard pour un rendez-vous.

QUEL EST VOTRE NOM ?

Pages 17 à 26

► **Après exercice 1, page 18**

Exercice 1

Reliez les questions et les réponses. Quelques réponses sont de trop !

1. Quel est votre nom ?
2. Quelle est votre nationalité ?
3. Quelle est votre profession ?
4. Où habitez-vous ?
5. Où travaillez-vous ?
6. Vous cherchez un emploi ?

a. Oui, dans votre société.
b. C'est de la part de Marc Morel.
c. Je parle japonais.
d. Je m'appelle Alex Delon.
e. Non, je suis assistante du personnel.
f. Je suis chef de production.
g. J'habite Barcelone.
h. Je travaille à Lyon, pour la société Toubon.
i. Je suis danois.

Exercice 2

Écrivez six questions à l'aide des mots suivants. Quelques mots sont à utiliser plusieurs fois.
Puis répondez aux questions.

parlez votre (2) quelle (2) qui japonais êtes profession
où (2) nationalité est (2) vous (4) travaillez habitez

QUESTIONS :	RÉPONSES :
1.	....
2.	....
3.	....
4.	....
5.	....
6.	....

► **Après exercice 2, page 18**

Exercice 3

Quels nombres ? Écrivez-les.

Quel est le nombre inscrit dans les cases grises ?

....

				d	i	x	
				i			
			i				
			i				
					i		
		s					
			i				

Exercice 4

Cherchez les nombres dans la grille, puis écrivez en lettres les trois nombres qui ne sont pas dans la grille.

0 - 2 - 4 - 6 - 8

10 - 12 - 14 - 16

18 - 20 - (22) - 24

26 - 28 - 30

t	v	i	n	g	t	d	e	u	x
r	i	t	s	e	q	v	d	z	d
e	n	r	d	e	u	x	d	e	i
n	g	e	o	n	a	q	s	i	x
t	t	h	u	i	t	x	n	a	h
e	s	o	z	é	r	o	s	d	u
d	i	x	e	s	e	i	z	e	i
s	x	i	n	g	v	i	n	g	t

1. ....
2. ....
3. ....

► **Après exercice 8, page 20**

Exercice 5

Trouvez les deux voyelles qui manquent à chaque mot.

1. dirctur : *directeur*
2. socét : ....
3. chrch : ....
4. usn : ....
5. infrmatque : ....
6. nuveu : ....

Complétez la phrase en utilisant les mots ci-dessus.

La .... , Label, ... pour une nouvelle .... à Toulon,

un ....

Exercice 6

Écrivez les bonnes questions.

1. .... ?	Je m'appelle Liumbas.
2. .... ?	Athanasios.
3. .... ?	Je suis grec.
4. .... ?	J'habite Athènes.
5. .... ?	J'ai 30 ans.
6. .... ?	Je suis ingénieur commercial.
7. .... ?	Je travaille au Pirée, chez Expot.
8. .... ?	Non, je suis marié.
9. .... ?	Oui, j'ai une fille.

► **Après exercice 10, page 21**

Exercice 7

Retenez bien ces prépositions :

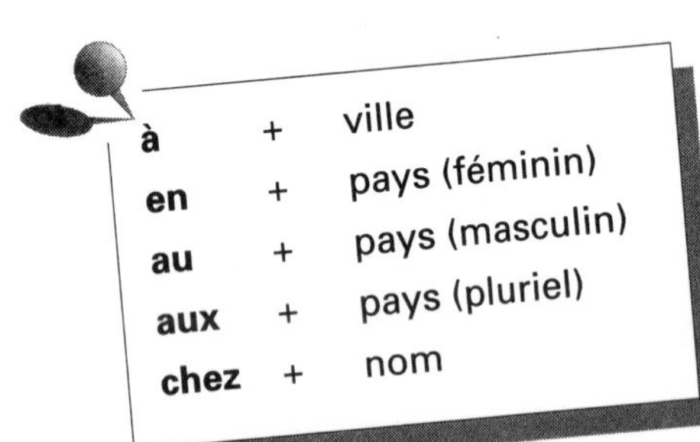

Il travaille **à** Genève.
Nous habitons **en** France.
Ils sont **au** Mexique.
J'habite **aux** Pays-Bas.
Je suis **chez** Dominique Legrand.

Vous pouvez dire :
habiter à Paris
ou
habiter Paris.

A Est-ce que ces pays sont féminins ou masculins ?
Regardez, si nécessaire, dans votre dictionnaire et écrivez les pays dans la bonne colonne.

Suisse Canada
Espagne
Danemark
Angleterre
Portugal Grèce
Hongrie Italie
France Japon
Mexique Pologne
Roumanie

masculin	féminin
....	....
....	....
....	....
....	....
....	....

B Complétez maintenant les phrases avec ces prépositions :

à
au
aux
chez
en

1. Paul habite .... Strasbourg. 2. Il travaille .... Itex. 3. Marie habite .... Japon. 4. J'ai un rendez-vous .... IBM. 5. Nous sommes .... États-Unis. 6. Nous avons une entreprise .... Italie, ... Rome. 7. Mes fils travaillent .... Canada. 8. Mon frère cherche un emploi .... Hongrie. 9. Patrick Broel installe une usine .... Berlin.

Exercice 8

► **Après note culturelle, page 25**

A Soulignez dans chaque ligne le mot qui ne va pas avec les autres.

1. directeur, secrétaire, célibataire, gérant, ingénieur
2. usine, entreprise, société, cadre, groupe
3. fils, femme, fabrication, frère, fille
4. diriger, animer, gérer, superviser, habiter
5. belge, suisse, roumain, heureux, hongrois.

B Complétez le texte avec les mots que vous avez soulignés.

1. Daniel Amboise est .... 2. Il est .... chez Fortiche, une entreprise textile. 3. Il coordonne les activités de .... 4. Il .... à Rouen. 5. Il est .... de travailler chez Fortiche.

Exercice 9

Une entreprise familiale ; quel est le mot qui manque ?

mon
ma
notre
mes

1. Je suis le directeur administratif. Le directeur général ? C'est .... père. 2. Le directeur financier ? C'est .... frère. 3. La directrice commerciale ? C'est .... femme. 4. Le directeur technique et le directeur des ressources humaines ? Ce sont .... fils. 5. .... entreprise est une entreprise très familiale.

Exercice 10

Cochez la bonne réponse.

1. Vous téléphonez au P-DG ?
- ❑ a. Oui, je parle au téléphone avec la secrétaire.
- ❑ b. Oui, je téléphone à la standardiste.
- ❑ c. Oui, je téléphone à monsieur Richard.

2. Vous cherchez un emploi en France ?
- ❑ a. Non, en Tunisie.
- ❑ b. Non, ma femme travaille aussi.
- ❑ c. Non, je suis marié.

3. Vous êtes responsable des ventes ?
- ❑ a. Oui, je suis le directeur commercial.
- ❑ b. Non, mon père est directeur.
- ❑ c. Oui, je gère l'administration.

4. Vous parlez anglais ?
- ❑ a. Oui, je suis française.
- ❑ b. Oui, je parle anglais et allemand.
- ❑ c. Oui, mon usine est en Grèce.

5. D'où venez-vous ?
- ❑ a. Je travaille en Belgique.
- ❑ b. Je viens de Bruxelles.
- ❑ c. J'arrive de Namur.

6. Vous êtes directeur technique chez ABEL ?
- ❑ a. Oui, je supervise les activités financières.
- ❑ b. Oui, je suis chargé du recrutement.
- ❑ c. Oui, je coordonne les activités de fabrication.

Exercice 11

Formez au moins sept phrases. N'oubliez pas de conjuguer les verbes.

Exemple :
➢ *Je suis directeur général.*

je
ma femme
notre entreprise
nous

habiter
avoir
diriger
travailler
rechercher
être

une société d'informatique
dans une petite entreprise
avec le Portugal
marié
trois enfants
Cologne
irlandais
un ingénieur
aussi un restaurant
directeur général

1. ....
2. ....
3. ....
4. ....
5. ....
6. ....
7. ....

JE VOUDRAIS RÉSERVER

Pages 27 à 32

Exercice 1

▶ Après « Désolé, c'est complet », page 27

Quels sont les mots qui manquent dans ces phrases ?

a. Paul est ingénieur (1) ....

b. Claire est chef du (3) ....

c. Rebecca est la (2) .... de Claire.

d. Paul et Claire (4) .... l' (6) .... pour Angers.

e. À Angers ils rencontrent des (7) ....

f. Rebecca (8) .... deux (5) .... d'hôtel.

Exercice 2

▶ Après « Deux chambres pour une personne », page 28

Complétez le dialogue avec les mots suivants :

Merci bien
Bonjour
réserver
Au revoir
combien
désolé
seulement
s'il vous plaît

1. Bonjour, madame.
2. .... , monsieur. Je voudrais .... une chambre, ...
3. Oui. Pour .... de nuits ?
4. Pour deux nuits .... , à partir du 12 décembre.
5. Un instant, s'il vous plaît. Je suis .... L'hôtel est complet.
6. .... , monsieur. ....

Exercice 3

Retrouvez l'ordre du dialogue et écrivez-le.

1. Pour une nuit ?
2. Une chambre pour une personne ?
3. Oui, c'est pour madame... ?
4. Oui, pour une personne.
5. Je voudrais réserver une chambre, s'il vous plaît.
6. Oui, madame. J'écoute.
7. Madame Lepetit.
8. C'est bien l'hôtel Eiffel ?
9. Allô, oui ?
10. Non, pour quatre nuits, à partir du deux décembre.

9. Allô, oui ?

....

....

....

....

....

....

....

....

....

▶ Après « Désolé, je n'ai plus qu'une seule chambre », page 28 

Exercice 4

Complétez avec le verbe : *prendre*

1. Je .... les réservations. 2. Il .... une nouvelle nationalité.
3. Vous .... la voiture du chef. 4. Tu .... deux journaux anglais.
5. On .... une chambre à l'hôtel d'Anjou. 6. Nous .... un nouvel ingénieur.
7. Elles .... un rendez-vous avec monsieur Richard.

Exercice 5

Complétez les phrases avec ces adverbes :

où
aussi (2)
très
seulement

1. L'hôtel Soleil est un .... petit hôtel. 2. Il a 10 chambres .... 3. Il a .... un petit restaurant. 4. C'est un hôtel .... on est bien. 5. Vous ...., téléphonez et réservez une chambre.

Exercice 6

Madame Lebeau téléphone à l'hôtel Richelieu. Trouvez les questions.

Mme Lebeau : Bonjour, monsieur. Je voudrais réserver une chambre, s'il vous plaît.
Hôtel : .... ?
Mme Lebeau : Pour deux personnes.
Hôtel : .... ?
Mme Lebeau : Pour quatre nuits, à partir du 2 décembre.
Hôtel : .... ?
Mme Lebeau : Oui, avec douche et W-C.
Hôtel : .... ?
Mme Lebeau : Au nom de madame Lebeau.
Hôtel : .... ?
Mme Lebeau : C'est le 12 14 16 00.

▶ Après exercice 3, page 29

Exercice 7

Cochez la bonne réponse.

1. Vous n'avez plus qu'une seule chambre ?
- ❑ a. Oui, d'accord.
- ❑ b. Oui, avec salle de bains.
- ❑ c. Oui, qui êtes-vous ?

2. Vous prenez la chambre ?
- ❑ a. Oui, il la prend.
- ❑ b. Oui, je suis enchanté.
- ❑ c. Oui, je la prends.

3. Vous réservez pour deux nuits ?
- ❑ a. Non, pour trois nuits.
- ❑ b. Oui, du 4 au 8 décembre.
- ❑ c. Non, pour ma femme et moi.

4. Vous confirmez ?
- ❑ a. Parfait. À partir du 15.
- ❑ b. Oui, tu réserves.
- ❑ c. Oui, par fax.

Exercice 8

▶ Après exercice 4, page 30 

Écrivez les nombres qui manquent.

26	13	33	44
57	19	52	60
2	14	55	49
41	35	9	38

vingt-six	....	....	....
trente-trois	....	....	....
neuf	....	....	....
deux	....	....	....

Exercice 9

A Lisez avec attention la page 31 de votre manuel puis notez les formes du verbe *vouloir.* Deux de ces formes expriment une demande polie.

Demande polie : 1. .... 2. ....

B Conjuguez maintenant le verbe *vouloir* au présent.

je	veux	nous	....
tu	veux	vous	....
elle / il / on	....	elles / ils	veulent

Exercice 10

▶ Après la grammaire, page 32 

Formulez sept autres phrases.

je voudrais

réserver
rencontrer
visiter
travailler
demander
remercier
parler
avoir

le prix des chambres
avec la femme du directeur
Jean pour la lettre
trois chambres
le directeur financier
dans une usine de voitures
une grande famille
votre nouvel hôtel

Exemple :
➢ *Je voudrais réserver trois chambres.*

1. ....
2. ....
3. ....
4. ....
5. ....
6. ....
7. ....

ILS ARRIVENT

Pages 33 à 42

Exercice 1

▶ Après « Ils prennent le vol Strasbourg-Paris... », page 33

Complétez le texte avec les prépositions suivantes :

à (7) *chez* *de* *pour* (4)

1. Corinne Bertin travaille .... ATAX, une société d'informatique parisienne. 2. Elle téléphone .... Paris .... la secrétaire de la nouvelle usine installée .... Cambrai .... confirmer l'arrivée du directeur général le 10 décembre. 3. Il prend le vol Paris-Lille .... 8 heures et le train .... Cambrai. 4. Il arrive .... 11 heures. 5. Il a une chambre .... l'hôtel « Le Français » .... deux nuits.
6. .... le retour, il prend l'avion .... Lille .... 19 h 30.

Exercice 2

▶ Après exercice 1, page 34

Quels mots vous viennent à l'esprit ? Écrivez cinq noms. N'oubliez pas l'article.

1. Les cadres de l'entreprise : *le directeur technique,* ....
....
2. Les pays d'Europe : ....
....
3. L'hôtel : ....
....
4. La famille : ....
....
5. Les jours de la semaine : ....

Exercice 3

▶ Après exercice 8, page 37

Complétez le texte avec le verbe : *pouvoir*

1. ● Monsieur Paressi ne .... plus aller à Angers. Qu'est-ce qu'on .... faire ?
2. ◆ Hum ! Je ne .... plus téléphoner au directeur. Il part en voyage dans une heure. Mais sa secrétaire .... informer le service technique.
3. ● Ah oui ! Claire et Paul travaillent dans le service. Ils .... tout arranger.
4. ◆ Et nous, nous .... envoyer un fax au directeur.
5. ● Nous ? Non, toi, tu .... envoyer le fax !

Exercice 4

A Trouvez le verbe correspondant au nom.

1. l'arrivée : *arriver*
2. le départ : ....
3. le téléphone : ....
4. la confirmation : ....
5. la réservation : ....
6. la visite : ....
7. la demande : ....
8. la direction : ....
9. le changement : ....
10. le travail : ....

B Et maintenant à l'aide de ces verbes complétez le texte suivant :

Changement de programme un dimanche soir !

1. Dimanche, 22 heures : vous ne voulez plus .... Vous voulez .... pour l'Italie. 2. Dimanche, 23 heures : vous .... votre programme. Vous voulez .... la ville de Lisbonne au Portugal. 3. Lundi, 9 heures : vous .... à Rapido, votre agence de voyages. Vous .... un vol pour Lisbonne et une chambre dans un grand hôtel. Rapido .... le vol et l'hôtel. 4. Lundi, 10 heures : Rapido .... par fax votre réservation. 5. Mercredi, 16 heures : Vous .... à Lisbonne. Vous êtes heureux ! Votre secrétaire .... votre entreprise jusqu'à votre retour !

Exercice 5

Utilisez les éléments donnés pour former des phrases entières.
Attention, parfois vous devez ajouter quelques mots !

Exemple : ils / prendre / train de 8 heures
➢ *Ils prennent le train de 8 heures.*

1. vous / pouvoir / être revenu / pour / 16 juin

....

2. nous / revenir / France / 10 novembre

....

3. ils / partir / de Barcelone / 7 h 20

....

4. tu / prendre / avion de 6 heures

....

5. je / partir / toujours / pour / Canada / été

....

6. vous / revenir / Suisse / dans une semaine

....

7. elles / arriver / Brest / vers 14 heures

....

8. tu / revenir / pour / anniversaire / notre fille

....

Exercice 6

Lisez les « phrases clés » de la leçon plusieurs fois puis cochez la bonne réponse.

1. Qu'est-ce que je peux faire pour vous ?
- ❑ a. C'est pour trois personnes.
- ❑ b. Je voudrais réserver une chambre.
- ❑ c. Je prends un vol pour Lyon.

2. C'est quand l'anniversaire de votre chef ?
- ❑ a. Mardi vers 9 heures.
- ❑ b. Demain après-midi.
- ❑ c. C'est le trois décembre.

3. Ça vous convient ?
- ❑ a. Oui, très bien.
- ❑ b. Donc, je la prends.
- ❑ c. J'espère que c'est exact.

4. Tout va bien pour la visite ?
- ❑ a. Oui, nous pouvons revenir en hiver.
- ❑ b. Oui, tout est arrangé.
- ❑ c. Oui, je change le programme.

▶ **Après la grammaire, page 39**

Exercice 7A

Est-ce que ? Qu'est-ce que ?
Monsieur Condu pose beaucoup de questions à madame Dubois. Formulez ces questions.

Exemple : travailler, chez Omega
➣ *Est-ce que vous travaillez chez Omega ?*

1. être la nouvelle directrice : .... ?
2. faire le premier janvier : .... ?
3. pouvoir faire à Venise : .... ?
4. prendre l'avion ou le train : .... ?
5. revenir jeudi : .... ?
6. écrire : .... ?

Ah ! votre numéro de téléphone ! Merci bien. Au revoir, chère madame !

B Imaginez les réponses de madame Dubois. Écrivez-les.

1. ....
2. ....
3. ....
4. ....
5. ....
6. ....

DEUX ALLERS SIMPLES

Pages 43 à 52

▶ Après exercice 2, page 44

Exercice 1

Tout, toute, tous, toutes ? Complétez.

1. .... le monde attend le P-DG.
2. Vous téléphonez à .... les gérants.
3. Ils visitent .... l'usine.
4. Je travaille .... les jours de la semaine.
5. Elle est à Angers .... la semaine.
6. .... les billets de banque sont faux !
7. Il y a un train .... les 30 minutes.
8. Nous vous confirmons aujourd'hui .... les détails du voyage.
9. Monsieur le directeur, ... le personnel est là !
10. .... les réponses de l'exercice sont exactes.

Exercice 2

Reliez les questions et les réponses.

1. Mademoiselle Lupin, le train pour Lyon part à quelle heure ?
2. Quel quai, s'il vous plaît ?
3. Et quelle est la durée du voyage ?
4. Est-ce que vous avez mon billet ?
5. Est-ce que vous avez réservé une chambre ?
6. Parfait. Mais qu'est-ce que vous faites ?
7. Très bien. Mademoiselle Lupin, où est mon billet ?

a. Je confirme par fax votre arrivée.
b. Oui, un aller et retour.
c. Oui madame, à l'hôtel Royal.
d. Voilà, madame. Bon voyage !
e. Quai numéro 3.
f. À 16 heures 43.
g. 2 heures 13 minutes.

▶ Après exercice 3, page 44

Exercice 3

Trouvez huit mots qui commencent par la lettre v.

1. V_ _ _à votre billet !
2. Le billet est _ _ _ a _ _ _ une semaine.
3. Marie, tu veux _ _ _ i _ _ _ l'usine ?
4. _ _ _ _ prenez un aller-retour ?
5. Il peut _ e _ _ _ s'il veut !
6. Les billets sont en _ e _ _ _ à partir du 3 mai.
7. Le _ o _ a _ _ dure deux heures.
8. Nous allons à Rome en _ o _ _ _ _ _ .

▶ Après « C'est un voyage d'affaires ? »

Exercice 4

Quel est l'infinitif de ces verbes ? *Suivre* ou *être* ?

Exemple : Je suis dans le train. ➢ *être*

1. Je suis en voyage d'affaires. ....
2. Je suis un cours de français. ....

3. Je suis le programme. ....

4. Je suis heureux d'apprendre le français. ....

5. Je suis en France depuis deux mois. ....

6. Je travaille donc je suis premier ! ....

Exercice 5

Lisez plusieurs fois le dialogue « C'est un voyage d'affaires ? ».
Puis corrigez le texte suivant, qui comprend huit erreurs.

> Dans le métro pour Angers, Claire et Paul font la connaissance d'un passager brésilien. C'est sa troisième visite en France. Il travaille chez Progetti à Milan. Il est chef du personnel. Il n'est pas en vacances. Il ne parle pas très bien le français. Il a appris le français à l'université. Il suit des cours de français dans six semaines chez Progetti.

....

....

....

....

Exercice 6

À, à la, à l', au, aux ? Utilisez ces prépositions.

1. Vous voulez aller .... Institut des Affaires Banco.
2. Vous êtes .... gare de l'Est. Vous prenez le métro jusqu' .... station Odéon.
3. .... guichet du métro vous achetez un ticket .... unité.
4. Du lundi .... samedi, de 9 heures .... 19 heures vous pouvez poser des questions .... professeurs de l'institut.
5. Vous pouvez suivre des cours : « Formation .... vente », « Comment téléphoner .... clients et clientes », « Comment vendre .... Japon », « Formation .... analyse des activités financières » etc.

▶ **Après exercice 8, page 48**

Exercice 7

Ne ... pas ? Ne ... plus de ? Donnez des réponses négatives !

Exemples : Vous parlez bien danois ? ➢ *Non, je ne parle pas bien danois.*
Vous suivez encore des cours ? ➢ *Non, je ne suis plus de cours.*

1. C'est votre première visite en Suède ? ....
2. Vous apprenez le suédois ? ....
3. Vous avez encore des rendez-vous ? ....
4. Vous prenez le taxi pour aller à l'hôtel ? ....
5. Vous avez encore des billets de métro ? ....

Exercice 8

Dans la langue parlée le *ne* de la négation ainsi que certaines voyelles ne sont pas toujours prononcés. Écrivez les phrases dans un français correct.

Exemple : J'ai pas d'monnaie. ➢ *Je n'ai pas de monnaie.*

1. Vous rev'nez pas d'main ? ....
2. T'as pas encore les billets ? ....
3. Nous sommes pas chargés d' l'affaire ! ....
4. Ils part' pas en Irlande. ....
5. Elle téléphone pas au patron ! ....
6. J'suis pas là pour faire des exercices ! ....

▶ **Après exercice 11, page 49** 

Exercice 9

Complétez les deux dialogues à l'aide des mots et expressions suivants. Certains sont à utiliser plusieurs fois. Pensez aux majuscules.

quel prochain de à quelle heure il y a voudrais
arrive quai pouvez combien d'affaires

À la gare :

- ● .... part le .... train pour Brest ? ◆ À 16 h 40, monsieur.
- ● Il .... à Brest .... ? ◆ À 17 h 32.
- ● Un aller-retour, s'il vous plaît. Ça fait .... ? ◆ 350 francs.
- ● .... ? ◆ Quai numéro deux.

À l'agence de voyages :

- ● Bonjour, monsieur. Mercredi .... j'ai un rendez-vous .... à Nice à 14 h. Est-ce qu' .... un train vers 11 h ? ◆ Oui, madame. Vous .... prendre le train ....11 h 32.
- ● .... le train .... -t-il à Nice ? ◆ À 13 h 26.
- ● Je .... être de retour avant 20 h. ◆ .... un train à 17 h 35. Il .... ici à 19 h 20.
- ● Vous .... me réserver un aller-retour ? ◆ Oui, madame.

Exercice 10

Lisez plusieurs fois la conjugaison de *finir* (page 51 du manuel).
Puis complétez les phrases avec ce verbe.

1. Mon cours de français .... à cinq heures.
2. Mes vacances ....dans une semaine.
3. Mademoiselle Trévisi, vous ne .... pas la lettre ?
4. Je .... tout le programme.
5. Nous .... toujours à l'heure !
6. Tu .... la première visite à quelle heure ?
7. Tout .... par des chansons !

Exercice 11

Écrivez sept phrases.

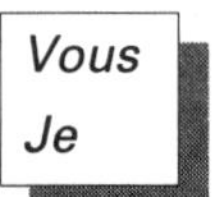

n'ai pas
voudrais
prenez
suis
êtes

partir pour le Canada.
la direction Balard.
en voyage d'affaires ?
appris le français au collège.
de monnaie.
un cours de vente depuis deux mois.
le chef de publicité ?

1. ....
2. ....
3. ....
4. ....
5. ....
6. ....
7. ....

Exercice 12

Est-ce que la prononciation est la même ou pas ?

	=	≠		=	≠
1. client / cliente	❑	❑	6. le / les	❑	❑
2. ou / où	❑	❑	7. finis / finit	❑	❑
3. agence / agent	❑	❑	8. chez / j'ai	❑	❑
4. circulez / circuler	❑	❑	9. collège / collègue	❑	❑
5. quelle / quel	❑	❑			

VOILÀ VOTRE CLEF

Pages 53 à 66

▶ Après « Chambre numéro 200 », page 54

Exercice 1

A Lisez le dialogue « Chambre numéro 200 ». Puis complétez la réponse de Claire.

- « Ah ! Vous .... le petit-déjeuner ? »

B L'infinitif du verbe est : ....

C Ce verbe est irrégulier. Quelle est sa conjugaison ?

Je .... le café au directeur.

Tu .... les clients.

On .... le déjeuner à 13 heures.

Nous .... le dîner à partir de 19 heures.

Vous .... les passagers.

Ils .... au bar tous les jours.

▶ Après exercice 4, page 55

Exercice 2

A Écrivez les articles définis.

1. .... petit-déjeuner, ... déjeuner, ... clef, ... dîner
2. .... piscine, ... salle de sport, ... sauna, ... restaurant
3. .... nuit, ... téléphone, ... télévision, ... fax
4. .... soirée, ... journée, ... fiche, ... semaine
5. .... permis de conduire, ... déplacement, ... passeport, ... pièce d'identité

B Soulignez dans l'exercice 2A le mot qui ne fait pas partie de la série.

C Complétez le texte avec les mots que vous avez soulignés en 2B.

1. Ah ! Bonjour, monsieur Rablais. Vous êtes en .... , n'est-ce pas ?
2. Vous avez une chambre réservée pour deux ....
3. Remplissez cette .... , s'il vous plaît.
4. Voilà votre ....
5. Le .... est ouvert à partir de 19 heures.

Exercice 3

▶ Après exercice 10, page 59 

A Retrouvez l'ordre des phrases.

1. ❍ À quatorze heures trente je visite l'usine.
2. ❍ J'arrive à neuf heures quarante à la gare de Reims.
3. ❍ À seize heures je rencontre le chef de production.
4. ❍ Je prends un taxi jusqu'à l'usine.
5. ❍ Je repars vers dix-huit heures.
6. ❍ J'ai une réunion à dix heures et demie avec Marcel Malin, le chef des ventes.
7. ① Je prends le train pour Reims lundi matin à huit heures et quart.
8. ❍ Je discute de nouveaux modèles présentés par monsieur Malin.
9. ❍ De midi à quatorze heures je déjeune avec monsieur Malin et madame Martel, la directrice commerciale.

B Écrivez maintenant le texte à la première personne du pluriel.

1. Nous ....
2. ....
3. ....
4. ....
5. ....
6. ....
7. ....
8. ....
9. ....

Exercice 4

▶ Après exercice 12, page 61

Complétez le texte avec les adjectifs démonstratifs :

ce *cette* *cet* *ces*

1. Allô ! Oui. Mademoiselle Montaigne ? Bonjour mademoiselle. Vous pouvez passer .... après-midi ? Ah oui, d'accord. Alors à .... soir.
2. Bonsoir mademoiselle. .... studio, n'est-il pas charmant ? 3. Regardez .... baignoire et .... douche. .... salle de bains est assez spacieuse. 4. Regardez bien, ... deux tables sont petites. Mais .... chaises et .... canapé sont très confortables. 5. Et .... lit n'est-il pas grand ? 6. Vous pouvez voir tout Versailles de .... balcon ! 7. À .... étage il y a aussi un sauna gratuit. 8. Comment trouvez-vous .... logement ? Et à .... prix !
9. Mademoiselle Montaigne : « .... agent immobilier est charmant ! »

Exercice 5

Cochez la bonne réponse.

1. Il y a un parking à côté ?
- ❑ a. Ah non, en face !
- ❑ b. Non, au premier étage.
- ❑ c. Non, trop c'est trop.

2. Les charges sont comprises dans le loyer ?
- ❑ a. Oui, c'est assez confortable.
- ❑ b. Oui, c'est réservé.
- ❑ c. Oui, bien sûr.

3. Vous cherchez un logement ?
- ❑ a. Oui, c'est comment ?
- ❑ b. Oui, à louer.
- ❑ c. Oui, à partir de 7 heures.

4. Vous avez une pièce d'identité ?
- ❑ a. Oui, voilà ma fiche !
- ❑ b. Oui, voici mon permis de conduire.
- ❑ c. Oui, regardez bien !

► **Après exercice 13, page 62**

Exercice 6

Répondez aux questions en utilisant les expressions suivantes :

Ça me plaît　*J'aime assez*　*J'aime bien*　*J'adore*
Ça ne me plaît pas　*Je n'aime pas*　*Je n'aime pas tellement*　*Je déteste*

Exemple : Vous aimez regarder la télévision ? ➢ *Oui, j'aime bien.*

Vous aimez ...

1. le champagne ? ....
2. l'hiver ? ....
3. votre professeur de français ? ....
4. aller au restaurant ? ....
5. apprendre le vocabulaire français ? ....
6. prendre le métro à 18 heures ? ....
7. prendre l'ascenseur ? ....
8. prendre le petit-déjeuner au lit ? ....

Qu'est-ce que vous aimez encore? ....

....

Exercice 7

Mettez les expressions *en italiques* au pluriel.

1. Nous proposons *un nouveau modèle.* ....
2. Je déteste *cette construction moderne.* ....
3. Regardez *l'annonce* dans *le journal* ! ....
4. *Ce bel appartement donne* sur un grand parc. ....
5. *Mon collègue est* en déplacement depuis *une semaine.* ....
6. *Cet hôtel est confortable* mais *celui-ci est climatisé.* ....
7. Je voudrais acheter *cette chaise* et *celle-ci* aussi. ....

▶ Après exercice 15, page 63 

Exercice 8

Avant de faire cet exercice relisez les textes de l'exercice 15 (pages 62 et 63 de votre manuel).
Formez des phrases.

Exemple : pas trop / beau / cherche / cher / logement / Monsieur Chopin / un
➢ *Monsieur Chopin cherche un beau logement pas trop cher.*

1. Provence / maison / il / belle / en / une / acheter / veut

....

2. régional / maison / au / il / style / ancienne / visite / adaptée / une

....

3. salle à manger / rez-de-chaussée / cuisine / une / il y a / au / et / une

....

4. le / immense / sur / donne / parc / salon / un

....

5. il y a / cellier / maison / la / grand / un / à l'arrière de

....

6. salle à manger / trop / trouve / cuisine / petites / la / Monsieur Chopin / et / la

....

7. salle de bains / l'étage / trois / et / comprend / chambres / une

....

8. voitures / la / un / nouveau / maison / il y a / pour / à côté de / garage / deux

....

9. belle / trouve / la / Monsieur Chopin / chère / mais / maison / très / bien trop

....

QU'EST-CE QUE VOUS PRENEZ ?

Pages 67 à 76

► Après « Vous avez choisi ? », page 69

Exercice 1A

Complétez le tableau.

	Infinitif	Présent (1ère pers. sing.)	Participe
1.		je réserve	réservé
2.	apporter		
3.		je travaille	
4.			proposé
5.		je regarde	
6.	écouter		
7.			parlé
8.	inviter		
9.		je trouve	
10.		je choisis	

B Complétez les phrases à l'aide de ces verbes au passé composé.

1. Julie est heureuse : elle .... du travail. 2. Tu .... une table pour demain soir ? 3. La secrétaire .... tous les documents au directeur. 4. Marie et Philippe .... la conversation avec attention. 5. L'agent immobilier .... à Claire un beau studio. 6. Nous .... au directeur : il est d'accord. 7. En 1995 j' .... pour la société Atout. 8. Voilà, nous .... : nous prenons un steak frites. 9. C'est vrai ? Tu .... mes parents à dîner ? 10. Hier soir Catherine et Annie .... un western à la télévision.

► Après « Et comme boisson ? », page 69

Exercice 2

Formez quatre petits dialogues en prenant une phrase dans chaque colonne.

Qu'est-ce que tu prends ?	*À quel nom ?*	*Très bien, monsieur.*
J'ai réservé une table.	*À point, s'il vous plaît.*	*Moi aussi.*
Vous prenez une entrée ?	*Un steak. Et toi ?*	*Du melon ou des crevettes.*
Vous voulez le steak comment ?	*Oui, qu'est-ce que vous avez ?*	*Au nom de Dalhuin.*

▶ **Après exercice 3, page 70**

Exercice 3

Qu'est-ce que vous préférez ?
Formez des questions d'après le modèle suivant. Pensez aux accents qui changent !

Exemple : vous / eau / vin rouge
➢ *Qu'est-ce que vous préférez, l'eau ou le vin rouge ?*

1. tu / melon / crudités : ....
2. il / steak bien cuit / à point : ....
3. vous / veau / agneau : ....
4. ils / poulet / entrecôte : ....
5. tu / glace / sorbet : ....
6. vous / entrées / desserts : ....

▶ **Après exercice 4, page 70**

Exercice 4

Trouvez les contraires. Quel est le nom de la région inscrite dans la colonne verticale ?

1. arriver :
2. détester :
3. pas tellement :
4. bien cuit :
5. chercher :
6. donner:
7. blanc :
8. fermé :

La région s'appelle la ....

▶ **Après exercice 7, page 72**

Exercice 5

Professions, plats, boissons ...
Remplissez les quatre colonnes avec les mots suivants. Écrivez aussi les articles des noms.

boire serveur jus de fruits poulet flambé réceptionniste
thé prendre côte d'agneau eau escalope de veau
serveuse apporter steak au poivre lait commander chocolat
sole à la normande femme de chambre barman vouloir

Professions	Plats	Boissons	Verbes
....	....	....	....
....	....	....	....
....	....	....	....
....	....	....	....
....	....	....	....

▶ **Après exercice 8, page 72**

Exercice 6

A Complétez le tableau.

Infinitif			prendre		être
Présent : je	*mange*	....	....	*ai*	*suis*
tu	....	....	....	....	....
il / elle / on	....	*boit*	*prend*	....	....
nous	*mangeons*	....	....	....	....
vous	....	*buvez*	....	....	....
ils / elles	....	*boivent*	....	....	....
Participe				*eu*	*été*

B Mettez les verbes du texte au passé composé.

1. J'ai un repas d'affaires avec mon chef, monsieur Raflet. 2. Nous prenons un menu à la carte. 3. Monsieur Raflet choisit une spécialité de la région. 4. Il boit du vin rouge. 5. Moi, je préfère boire du vin blanc avec la sole. 6. Le propriétaire de l'auberge nous apporte les plats. 7. Nous mangeons avec appétit. 8. Nous discutons avec passion de cuisine et de musique. 9. Monsieur Raflet est charmant avec moi.

Exercice 7

Répondez aux questions selon le modèle suivant :

Exemple : Vous prenez le melon ? ➢ *Oui, je le prends.*
Non, je ne le prends pas.

1. Tu demandes la carte ? *Oui,* ....
2. On prend le plat du jour ? *Non,* ....
3. Les enfants, vous mangez les frites ? *Non,* ....
4. Jean, vous commandez les desserts ? *Oui,* ....
5. Elle veut le sorbet ? *Non,* ....
6. On partage la note ? *Oui,* ....

Exercice 8

Dans la langue parlée on emploie souvent *est-ce que* pour poser des questions.
Formulez les questions comme dans les exemples suivants.

Exemples : Où as-tu appris le français ? ➢ *Où est-ce que tu as appris le français ?*
Qu'a-t-il commandé comme dessert ? ➢ *Qu'est-ce qu'il a commandé comme dessert ?*

1. Combien de billets avez-vous pris ?

....

2. Qu'avez-vous répondu au directeur ?

....

3. Comment ont-ils appris à faire la cuisine ?

....

4. Qu'avez-vous choisi comme entrée ?

....

5. Où ont-ils rencontré la secrétaire ?

....

6. Quand as-tu commencé à travailler ?

....

7. À quelle heure a-t-elle téléphoné ?

....

Exercice 9

Quel est le bon article : l'article défini, indéfini ou partitif ?

1. C'est vrai que .... cuisine et .... vins français sont connus partout dans .... monde. 2. C'est .... industrie importante. 3. Toutes .... régions de France offrent .... spécialités. 4. Pour .... bons cuisiniers et cuisinières, faire .... cuisine, c'est .... passion. 5. Si vous voulez boire .... bon vin et manger .... vraie viande, ... bonnes frites, ... tarte et .... gâteau faits maison, n'allez pas dans .... restaurants touristiques.

Exercice 10

Retenez bien les articles après la négation.

Après **être** :	C'est **la** leçon 6.	Ce n'est pas **la** leçon 6.
	C'est **le** professeur.	Ce n'est pas **le** professeur.
	Ce sont **les** horaires.	Ce ne sont pas **les** horaires.
	C'est **de la** tarte.	Ce n'est pas **de la** tarte.
	C'est **du** bon vin.	Ce n'est pas **du** bon vin.
	Ce sont **des** spécialités.	Ce ne sont pas **des** spécialités.
	C'est **une** bonne entrecôte.	Ce n'est pas **une** bonne entrecôte.
	C'est **un** grand restaurant.	Ce n'est pas **un** grand restaurant.
Après **aimer** :	Elle aime **la** viande.	Elle n'aime pas **la** viande.
	le cognac.	**le** cognac.
	les glaces.	**les** glaces.
Après **tous les autres verbes** :	Je prends **le** menu.	Je ne prends pas **le** menu.
	Tu regardes **la** carte.	Tu ne regardes pas **la** carte.
	Il compare **les** prix.	Il ne compare pas **les** prix.
	Nous prenons **du** thé.	Nous ne prenons pas **de** thé.
	Vous mangez **de la** sole.	Vous ne mangez pas **de** sole.
	Ils goûtent **des** spécialités.	Ils ne goûtent pas **de** spécialités.
	Elle veut **une** tarte.	Elle ne veut pas **de** tarte.
	Il apporte **un** pichet de rouge.	Il n'apporte pas **de** pichet de rouge.

Donnez des réponses négatives, si possible sans regarder le tableau de la page 28.
Faites attention aux articles !

1. Aujourd'hui, c'est l'anniversaire de votre mère ?

....

2. Vous aimez les restaurants japonais ?

....

3. Vous écoutez de la musique classique ?

....

4. Vous apprenez le chinois ?

....

5. Vous prenez des vacances en juin ?

....

6. Vous servez le café aux collègues ?

....

7. Vous avez une fille ?

....

8. Vous aimez la coiffure de votre professeur ?

....

9. Vous lisez le journal au petit-déjeuner ?

....

10. Vous buvez du thé au lait le matin ?

....

11. Vous prenez un café noir après le dîner ?

....

12. Ce sont des questions intelligentes ?

....

Exercice 11

Reliez les questions et les réponses.

1. Vous voulez une table pour ce soir ?
2. Qu'est-ce que vous prenez comme boisson ?
3. Vous mangez où le midi ?
4. Vous aimez faire la cuisine ?
5. Vous avez choisi ?
6. Vous voulez boire quelque chose ?
7. Alors, ce nouveau restaurant, il est bien ?

a. Le midi je mange à la cantine ou dans un petit bistro.
b. Non, pas encore. Un instant, s'il vous plaît.
c. Non, pour mercredi 20 heures.
d. Oui, je prends un café crème.
e. Oui, très bien et pas cher. On est servi rapidement.
f. Je voudrais un petit pichet de vin rouge.
g. Oh oui ! J'adore faire la cuisine !

CHÈQUES OU ESPÈCES ?

Pages 77 à 84

▶ Après « Je voudrais ouvrir un compte... », page 78

Exercice 1

Ouvrez votre manuel à la page 83 puis complétez les phrases avec le verbe *aller*.

1. Qu'est-ce qu'ils .... faire demain ? 2. Je .... rendre visite à des amis.
3. Il .... partir en voyage d'affaires. 4. Elles .... travailler toute la journée.
5. Tu .... changer de l'argent. 6. Vous .... réserver des billets d'avion.
7. Nous .... discuter du salaire des employés.

Exercice 2

Trouvez la bonne réponse.

On vous dit :

1. Que puis-je pour vous ?
2. Vous voulez des espèces ?
3. Combien voulez-vous ?
4. Voulez-vous bien signer ici, s'il vous plaît ?
5. Vous avez une pièce d'identité ?
6. Vous avez une adresse ici ?
7. Vous déposez de l'argent sur ce compte ?
8 Quand passez-vous prendre les chèques de voyage ?

Vous répondez :

a. Oui, je désire déposer quatre mille francs.
b. Oui. Tenez, voilà mon passeport.
c. Oui, bien sûr.
d. Demain mardi, vers 14 heures.
e. Oui, c'est le 8, rue Gambetta.
f. Non, je voudrais des chèques de voyage.
g. Je voudrais deux mille marks.
h. Je désire changer de l'argent.

▶ Après exercice 3, page 79

Exercice 3A

Relisez les textes des pages 77 à 79 de votre manuel. Puis, sans regarder votre manuel, essayez de trouver les verbes des expressions suivantes :

Exemple : *rendre visite* à un client

1. .... de l'argent sur un compte
2. .... des francs en marks
3. .... des chèques de voyage
4. .... un nouveau compte dans une banque
5. .... un salaire sur un compte
6. .... un contrat
7. .... le code confidentiel
8. .... de l'argent dans un distributeur

B À l'aide de ces expressions écrivez des phrases au passé composé.

Exemple : nous ➢ *Hier nous avons rendu visite à un client.*

1. Gérard : *Hier Gérard* ....

2. vous : ....

3. tu : ....

4. Julie : ....

5. le comptable : ....

6. les ingénieurs : ....

7. je : ....

8. nous : ....

Exercice 4

► Après exercice 5, page 80

Mettez les verbes entre parenthèses au temps qui convient : au présent ou au passé composé.

1. Notre entreprise .... *(garantir)* à tous les employés un bon salaire. 2. Le service comptable le .... *(virer)* directement sur notre compte. 3. Nous .... (bénéficier) de la sécurité de l'emploi. 4. Nos horaires de travail .... *(être)* flexibles. 5. Ils .... *(changer)* selon les commandes. 6. Cela ne .... *(simplifier)* pas l'organisation. 7. Notre entreprise.......................... *(être)* une entreprise internationale. 8. Il y a deux ans elle .... *(ouvrir)* une usine en Chine et au Canada. 9. La semaine dernière elle .... *(signer)* un contrat avec l'Afrique. 10. Cela fait maintenant un an que la direction .... *(introduire)* de nouvelles méthodes de travail. 11. Nous .... *(mettre)* quelques mois pour les accepter. 12. Mais maintenant nous les .... *(trouver)* excellentes et ne .... *(désirer)* plus travailler comme avant.

Exercice 5

► Après exercice 8, page 82

Modifiez les phrases avec les expressions suivantes. Chaque expression est à employer une seule fois.

Il faut   Nous pouvons   Vous pouvez   Nous voudrions
On peut   Il ne faut pas   Je voudrais

Exemple : Il est nécessaire de téléphoner à la banque. ➢ *Il faut téléphoner à la banque.*

1. Je désire changer un chèque. ....

2. Oui, madame. C'est possible d'ouvrir un compte joint et d'avoir votre propre chéquier.

....

3. Nous désirons payer nos impôts par virement automatique. ....

....

4. Il est nécessaire de décrire le produit en détail. ....

....

5. Pour nous pas de problème, c'est possible de changer le programme de voyage. ....

....

6. Ce n'est pas nécessaire de tout raconter au chef ! ....

....

7. C'est possible de payer dans les boutiques avec cette carte ? ....

....

Exercice 6

Dans chacune de ces phrases il manque un mot. Écrivez les phrases complètes.

1. Avoir une bleue, c'est pratique. ....
2. Vos impôts sont automatiquement de votre compte. ....
3. Vous pouvez retirer de l'argent 7 jours 7. ....
4. Vous payez par automatique ? ....
5. Si vous avez un, vous pouvez payer par chèque. ....
6. L'argent ne fait le bonheur. ....

▶ **Après la grammaire, page 83** 

Exercice 7

À l'aide des éléments suivants formez six phrases et écrivez-les au futur proche.

À partir de juin	*nous*	*pouvez*	*un nouveau magasin.*
Dimanche après-midi	*tu*	*passe*	*à nos parents.*
Demain soir	*Chantal*	*dîne*	*bénéficier du nouveau tarif.*
Jeudi à 14 heures	*Marc et Marie*	*rendons visite*	*trois mille francs.*
À partir de lundi	*vous*	*retires*	*trois mois à Lyon.*
Après-demain	*je*	*ouvrent*	*avec des amis au restaurant.*

UNITÉ 9
EN VILLE

Pages 85 à 96

▶ **Après « Qu'est-ce que vous cherchez ? », page 85**

Exercice 1

Donnez des ordres. Transformez les phrases selon le modèle.

Exemple : Il faut interroger le professeur. ➢ *Interrogez le professeur !*

1. Il faut tourner à droite. ....
2. Il est nécessaire de finir ce travail. ....
3. Qu'est-ce que vous attendez pour partir ? ....
4. Vous pouvez passer à la caisse. ....
5. Je vous demande d'écrire cette lettre. ....
6. Je vous ai dit de trouver le responsable. ....
7. Il faut revenir dans une semaine. ....
8. Vous devez compléter ce tableau. ....
9. Je vous prie de lire ce document. ....

Exercice 2

Lisez plusieurs fois la conjugaison du verbe *faire* page 95 de votre manuel.
Puis, livre fermé, complétez les phrases suivantes avec ce verbe.

1. Du jeudi au lundi les bureaux sont fermés : les employés .... le pont. 2. Qu'est-ce que vous .... comme chiffre d'affaires ? Nous .... environ 400 millions de francs.

3. La secrétaire est là ? Vous savez, il est midi. Elle .... des achats en ville.

4. Qu'est-ce que tu .... comme dessert ? Je .... une tarte aux pommes.

▶ **Après exercice 3, page 87**

Exercice 3

Où est la parfumerie Senbon ? Retrouvez l'ordre des mots, formez des phrases correctes et conjuguez les verbes.

1. vous / centre-ville / à la / pour / la direction / prendre / parfumerie Senbon / aller

....

2. de / à / l'hôtel / aller / jusqu' / ville / vous

....

3. l'avenue Chanelli / à / et vous / dans / vous / gauche / tourner / être alors

....

4. de / droite / être / au / l'avenue / votre / le magasin Senbon / bout / sur

....

5. pouvoir / de / chez Senbon / crédit / achats / vous / avec / payer / vos / une carte

....

Exercice 4

► Après exercice 5, page 90

Chantal Duvigny est dans un grand magasin. Posez les bonnes questions.

1. Chantal : .... ?
   Vendeuse : Le rayon vêtements ? Il se trouve au deuxième étage.
2. Vendeuse : .... ?
   Chantal : Je cherche un pantalon ou une jupe.
3. Vendeuse : .... ?
   Chantal : Je préfère le bleu.
4. Vendeuse : .... ?
   Chantal : Je fais du 38.
5. Chantal : .... ?
   Vendeuse : Ce pantalon coûte 200 francs. Ce n'est pas cher.
6. Chantal : .... ?
   Vendeuse : Bien sûr, madame. Les salons d'essayage sont juste en face de l'escalier.
7. Chantal : .... ?
   Vendeuse : Désolée, madame. Je n'ai plus de collants rouges.
8. Chantal : .... ?
   Vendeuse : Certainement madame. Nous acceptons les cartes de crédit.

Exercice 5

Trouvez le bon adverbe : *certainement, juste, moins, plus, puis.*

1. N'allez pas à l'hôtel Salé mais à l'hôtel Breton : cet hôtel est beaucoup .... confortable et bien .... cher.
2. Il est facile à trouver. Il est .... en face de la gare.
3. Vous aimerez .... les équipements de cet hôtel.
4. Si vous prenez à droite de l'hôtel la première rue à gauche, ... la deuxième à droite, vous trouverez le restaurant « Tradition », un très bon restaurant.

Exercice 6

► Après exercice 7, page 92

Qu'est-ce qui va ensemble ? Faites correspondre les deux parties des expressions.

1.	un kilo	a.	de riz
2.	une bouteille	b.	de fromage
3.	une paire	c.	de chocolats
4.	un paquet	d.	de thé
5.	un morceau	e.	de carottes
6.	une boîte	f.	de chaussures
7.	une tasse	g.	de vin

▶ Après exercice 8, page 93 

Exercice 7

Quelques négations

J'aime ... **et** ...	➞	Je **n'**aime **ni** ... **ni** ...
J'ai **quelque chose** ...	➞	Je **n'**ai **rien** ...
J'ai **encore** ...	➞	Je **n'**ai **plus** ...

Regardez le tableau puis répondez aux questions ci-dessous par non.

Exemple : Vous aimez le melon et le jambon ? ➢ *Non, je n'aime ni le melon ni le jambon.*

1. Le studio est spacieux et confortable ? ....
2. Vous avez quelque chose à boire ? ....
3. Tu veux encore jouer aux échecs ? ....
4. Le directeur viendra lundi et mardi ? ....
5. Ce midi, vous mangez quelque chose ? ....
6. Vous avez besoin du plan et de ces photos ? ....
7. Il écoute encore ce disque compact ? ....
8. Vous aimez le rose et le noir ? ....

▶ Après exercice 9, page 94 

Exercice 8

Trouvez les voyelles qui manquent pour obtenir une liste de vêtements.
Écrivez aussi les articles.

Exemple : chssr ➢ *la chaussure*

1. chp : ....
2. chssn : ....
3. chms : ....
4. pntln : ....
5. rb : ....
6. cllnt : ....
7. vst : ....
8. chmsr : ....
9. jp : ....
10. pjm : ....
11. mnt : ....
12. clçn : ....

Exercice 9

Transformez les phrases en utilisant *afin de*.

Exemple : Je téléphone à Jean, j'aurai un rendez-vous.
➢ *Je téléphone à Jean afin d'avoir un rendez-vous.*

1. Je travaille aussi le week-end, je pourrai payer ma villa.

....

2. Tu envoies un fax, tu confirmes mon arrivée.

....

3. Il va en Suisse, il va déposer de l'argent sur un compte.

....

4. Nous envoyons des brochures, nous faisons connaître nos produits.

....

5. Vous laissez un message, vous informez le patron du changement de programme.

....

6. Ils se rencontrent au restaurant, ils vont parler affaires.

....

Exercice 10

Complétez la réponse de monsieur Rodrigo à monsieur Yves avec les mots suivants. Trois mots sont de trop !

gamme l'attente remercions commande lors de proposons
bénéficier mois brochures envoyons envisager recevons
trouverez tarif serons vaste importateur

Madrid, le 22 mars

Monsieur,

Nous vous .... de votre lettre du 15 mars.

Nous vous .... aujourd'hui même nos .... et notre ....

Nous vous .... une .... de produits très .... :

vous .... des modèles non seulement sportifs et jeunes mais aussi très élégants.

Si vous passez une .... importante avant le .... de juillet, vous pourrez

.... de prix très intéressants.

Nous .... heureux de vous recevoir et de vous faire visiter notre fabrique

.... votre prochain voyage en Espagne.

Dans .... de votre réponse, nous vous prions d'agréer, Monsieur, nos salutations distinguées.

Manuel Rodrigo

Exercice 11

► Après la grammaire, page 95

Votre horoscope ! Complétez le texte avec les verbes entre parenthèses. Mettez les verbes au futur simple.

1. Cancer : Vous .... (rencontrer) une personne très importante qui vous .... (aimer) pour toujours.
2. Lion : Vous .... (signer) un contrat qui vous .... (rendre) heureux.
3. Vierge : On vous .... (interroger) sur vos affaires mais vous ne .... (dire) rien.

4. Balance : Vous .... (envisager) de changer votre vie. Mais ce .... (être) une question de temps.

5. Scorpion : Une charmante personne .... (prendre) une place importante dans votre vie.

6. Sagittaire : Vous .... (traverser) une crise mais le soleil .... (revenir).

7. Capricorne : On vous .... (aider) à trouver la bonne direction.

8. Verseau : Vous .... (tourner) la page sur votre passé et .... (commencer) quelque chose de nouveau.

9. Poisson : Vous .... (passer) de très bonnes vacances d'été à la mer.

10. Bélier : Vous .... (partir) en voyage et .... (découvrir) un pays où il fait toujours beau.

11. Taureau : Vous .... (avoir) les bons numéros au loto et vous .... (pouvoir) acheter une grande maison.

12. Gémeaux : Vous .... (trouver) enfin votre identité.

Exercice 12

À vous de répondre !

Répondez aux questions en utilisant le futur simple et en écrivant des phrases entières.

1. Qu'est-ce que vous achèterez à vos parents pour Noël ?

....

2. Où passerez-vous vos vacances l'année prochaine ?

....

3. Est-ce que vous aurez le temps d'aller au cinéma lundi prochain ?

....

4. Quand pourrez-vous visiter le musée du Louvre à Paris ?

....

5. Qu'est-ce que vous ferez le jour de votre anniversaire ?

....

6. Et quand vous ne travaillerez plus, qu'est-ce que vous ferez ?

....

UNITÉ
10

BONNE ROUTE

Pages 97 à 104

Exercice 1

► Après exercice 2, page 98

Quel est le mot qui manque ? Écrivez les phrases complètes.

1. Vous avez de sans plomb ? ....
2. Vous pouvez vérifier la des pneus ? ....
3. Vous pouvez la voiture ? ....
4. Je vous combien ? ....
5. Voilà un de 200 francs. ....
6. Je suis, je n'ai plus de monnaie. ....
7. Vous me un reçu, s'il vous plaît ? ....

Exercice 2

► Après exercice 3, page 98

Avec ou sans préposition ? Ajoutez *de* ou *pour*, si cela est nécessaire.

1. Claire et moi, nous sommes en voyage. En route nous nous arrêtons .... faire le plein d'essence. 2. Nous faisons .... laver le pare-brise. Nous avons aussi besoin .... faire .... vérifier le niveau d'huile. 3. Nous payons et demandons au pompiste .... nous donner un reçu. 4. En voiture Claire aime beaucoup .... parler. 5. Après deux heures de voyage elle s'arrête .... parler et essaie .... chanter des airs d'opéra. 6. Je ne peux pas .... partager cette passion ! 7. Je déteste .... écouter de l'opéra. 8. Que faire .... ne plus l'entendre .... chanter ? 9. Je propose à Claire .... nous arrêter .... boire quelque chose.

Exercice 3

► Après exercice 4, page 99

A Quels noms ? Quels verbes ? Vous ne connaissez pas encore certains mots ou verbes donnés dans ce tableau. Mais vous les comprendrez certainement.

1. .... :	l'interdiction	5. .... :	le contrôle
2. circuler :	....	6. s'arrêter :	....
3. .... :	la vérification	7. stationner :	....
4. .... :	la réparation	8. recevoir :	....

B Complétez les phrases en utilisant les mots ci-dessus.

1. Avant de partir, pensez à .... la pression des pneus. 2. Mais regardez donc le panneau ! Il est interdit de .... et de .... dans cette rue. 3. Faites attention ! Il y a souvent des .... de vitesse sur cette autoroute.

4. Quelle .... ! Si ça continue comme ça, on ne sera pas à six heures à Nantes. 5. Alors, les roues ? Elles coûtent combien ? Tu as le .... ? 6. L'atelier Marcoto .... toutes les marques de caravane. 7. Ce panneau veut dire : .... de tourner à droite.

► Après exercice 5, page 100

Exercice 4

Lisez plusieurs fois la conjugaison du verbe *devoir* (page 167 de votre manuel). Puis reformulez les phrases suivantes en utilisant ce verbe.

Exemple : Tu remplis ces fiches : le directeur les veut dans une heure.
➢ *Tu dois remplir ces fiches.*

1. Nous offrons des tarifs avantageux, c'est nécessaire.

....

2. Pas de discussion : vous réglez la caution

....

3. Sa voiture est en panne : il loue une voiture.

....

4. Tu fais attention : la chaussée est glissante.

....

5. C'est certain : les agences contrôlent les papiers.

....

6. Je ne peux plus attendre : je rends les documents.

....

Exercice 5

A Trouvez dans le texte « Location de voiture » (page 99 de votre manuel) la deuxième personne du pluriel du verbe *devoir* au futur simple.

Vous ....

B Complétez maintenant le tableau.

Devoir au futur simple :

je	nous ....
tu	vous ....
il	ils ....

Exercice 6

Reliez les expressions qui ont la même signification.

1. Je vous dois combien ?
2. Vous payez en argent liquide.
3. On ne peut ni s'arrêter ni stationner.
4. Nous avons beaucoup de réservations.
5. Il faut avoir 18 ans au minimum.
6. Une certaine somme est à payer d'avance.

a. Nous avons de nombreuses réservations.
b. Interdit aux moins de 18 ans !
c. Il faut payer une caution.
d. Ça fait combien ?
e. Vous réglez en espèces.
f. Arrêt et stationnement interdits.

Exercice 7

► Après exercice 6, page 101 

Cochez la bonne réponse.

1. Le plein de super ?
- ❑ a. Oui, c'est super.
- ❑ b. Oui, s'il vous plaît.
- ❑ c. Oui, j'ai encore 80 francs.

2. Vous n'avez rien à déclarer ?
- ❑ a. Non, mais ne fouillez pas.
- ❑ b. Non, tout me va bien.
- ❑ c. Non, rien monsieur.

3. Vous avez besoin de quelque chose ?
- ❑ a. Non, de rien du tout, merci bien.
- ❑ b. Non, ce n'est pas vrai.
- ❑ c. Non, dans dix minutes maximum.

4. Vous avez vos papiers ?
- ❑ a. Le voici.
- ❑ b. Les voilà.
- ❑ c. Généralement je l'ai sur moi.

Exercice 8

► Après exercice 7, page 101

Quel est le mot commun ?

Exemples : ➢ *la bouteille* de vin / de parfum / d'huile

➢ *régler* le montant / l'addition / le billet d'avion

1. .... grise / de crédit / d'anniversaire
2. .... une roue / de l'argent / de direction
3. .... d'identité / d'un franc / détachée
4. .... de voyages / immobilière / de location
5. .... la douane / une commande / un week-end à la mer
6. .... de métro / de sports d'hiver / -service
7. .... un apéritif / un parfum à une femme / des tarifs avantageux
8. .... de construire / de conduire / de séjour

Exercice 9

► Après la grammaire, page 102

Quels sont les infinitifs de ces verbes ?

Exemples : je suis allé(e) ➢ *aller*

j'ai livré ➢ *livrer*

avec être		**avec avoir**	
tu es arrivé(e)	....	tu as vérifié	....
il est monté	....	il a dû	....
elle est passée	....	elle a pu	....
nous sommes descendu(e)s	....	nous avons rendu	....
vous êtes venu(e)s	....	vous avez obtenu	....
ils sont partis	....	ils ont ouvert	....
elles se sont levées	....	elles ont choisi	....

Exercice 10

Rétablissez l'ordre chronologique.

1. Elle a payé. — 5. *Anne s'est levée tôt ce matin.*
2. Elle a garé sa voiture près de la gare centrale de Lille. — ....
3. Elle a pris l'autoroute de Lille. — ....
4. Elle a pris de l'essence. — ....
5. Anne s'est levée tôt ce matin. — ....
6. Alors elle est descendue de sa voiture et — ....
7. Là elle a rencontré le directeur. — ....
8. Après le petit déjeuner elle est montée dans sa voiture. — ....
9. Elle est arrivée à Lille à 10 heures. — ....
10. Vers 9 heures elle s'est arrêtée pour boire un thé. — ....
11. elle s'est dirigée vers les bureaux de la maison mère. — ....
12. Elle est allée à la sation-service. — ....

Exercice 11

Écrivez les verbes à la personne demandée du passé composé.

Exemple : s'arrêter / tu ➢ *tu t'es arrêté(e)*

1. se trouver / elles : ....
2. s'excuser / je : ....
3. se rencontrer / vous : ....
4. s'implanter / il : ....
5. se servir / tu : ....
6. se revoir / ils : ....
7. s'aimer / nous : ....

Exercice 12

Avoir ou *être* ? Écrivez les phrases au passé composé et classez-les.

1. Il loue une voiture à Nice. Il rend la voiture à Paris.
2. Elle se lève. Elle se lave. Elle déjeune. Elle part travailler.
3. J'arrive à la douane. Je gare mon camion. Le douanier fouille mon chargement.
4. Vous allez à Toulouse. Vous livrez des pièces détachées.

avoir	être
1. Il a loué une voiture.	....
....	....
....	....
....	....
....	....

Exercice 13

A Complétez les phrases.

Exemple : Généralement le samedi je lave ma voiture mais ce samedi...
➢ *Généralement le samedi je lave ma voiture mais ce samedi je n'ai pas lavé ma voiture.*

1. Je vais toutes les semaines au cinéma mais cette semaine ....

....

2. Une fois par mois mes amis et moi, nous jouons aux cartes mais ce mois ci ....

....

3. Le week-end en général je fais la cuisine mais ce week-end ....

....

4. Ma mère ne vient pas souvent me voir mais cette semaine ....

....

5. Je vois tous les jours mon patron mais hier ....

....

6. Généralement je ne bois pas d'apéritif avant le repas mais hier ....

....

7. Pendant les vacances je descends toujours à l'hôtel mais en 1996 ....

....

B Et maintenant « à vous » ! Écrivez d'autres phrases semblables.

....

....

....

....

....

SI ON ALLAIT À PARIS ?

Pages 105 à 114

▶ Après « Ça vous dit ? », page 105

Exercice 1

C'est... que.... Insistez comme dans le modèle suivant.

Exemple : Je viens en France pour la première fois.

➢ *C'est la première fois que je viens en France.*

1. J'ai appris le français au collège. ....
2. Tu as rencontré le chef de publicité au café ? ....
3. Elle voudrait réserver la grande chambre bleue. ....
4. Il veut voir mon permis de conduire. ....
5. Vous désirez lire ce document ? ....
6. Nous nous rencontrerons à la chambre de commerce. ....
7. Les musées sont fermés le mardi. ....

▶ Après exercice 1, page 106

Exercice 2

A Qu'est-ce que vous n'avez jamais fait ? Formez des phrases.

Exemple : diriger de grandes entreprises

➢ *Je n'ai jamais dirigé de grandes entreprises.*

1. animer des groupes de travail ....
2. suivre des cours de formation à la vente ....
3. être chargé d'une mission secrète ....
4. déjeuner avec James Bond ....
5. monter dans le TGV ....
6. descendre dans un grand hôtel ....
7. rendre visite au Président de la République Française ....
8. aller à Noël à la Guadeloupe ....

B Et vous, qu'est-ce que vous n'avez encore jamais fait ? Écrivez cinq phrases personnelles.

Exemple : ➢ *Je n'ai encore jamais changé de roue de voiture.*

1. ....
2. ....
3. ....
4. ....
5. ....

Exercice 3

► Après exercice 3, page 107

Le pronom **y**

Vous allez	**en** France ?	Nous **y** allons.
	à Saumur ?	Nous n'**y** allons pas.
	à la gare ?	Nous n'**y** allons jamais.
	à l'hôtel ?	Nous n'**y** sommes pas allés.
	au musée ?	Nous n'**y** sommes jamais allés.
	dans cette agence ?	

Répondez aux questions en utilisant *y*.

Exemple : Dites Chantal, vous mangez à la cantine le midi ? (oui / tous les midis)
➢ *Oui, j'y mange tous les midis.*

1. Marie va à la réunion ? (oui / avec Jean)

....

2. Combien de temps sont-ils restés à Dieppe ? (trois jours)

....

3. Qu'est-ce que je prends à la poissonnerie ? (tu / quatre filets de sole)

....

4. Pascal, tu es passé à la banque ? (non / pas encore)

....

5. Depuis combien de temps êtes-vous implantés au Portugal ? (nous / deux ans)

....

6. Qu'est-ce que tu as acheté au magasin de l'entreprise ? (rien)

....

7. Jean et Jeanne, ils reviendront à Cuba ? (non / jamais)

....

Exercice 4A

Remettez de l'ordre dans ces questions. Pensez aux majuscules.

1. la / tu / d'Orléans / connais / ville

.... ?

2. on / le / ensemble / si / week-end / y / prochain / allait

.... ?

3. dit / de / centre Charles Péguy / et la / te / visiter / ça / maison de Jeanne d'Arc / le

.... ?

4. on / voiture / y / en / en / va / train / ou

.... ?

5. quartier Saint-Paul / le / dans / on / un / dîner / soir / restaurant / pourra / du

.... ?

B Quelle réponse pour quelle question de l'exercice 4A ?

a. ❍ D'accord ! Le programme me convient !
b. ❍ En voiture. Le train, c'est trop cher.
c. ❍ Non, je n'y suis jamais allée.
d. ❍ Ça me plairait beaucoup de visiter tout cela.
e. ❍ Mais pourquoi pas !

Exercice 5

À cause de... Trouvez la raison.

1. Ma mère ne peut plus voyager			son architecture orientale.
2. Je roule à 50km/h, pas plus,		*de*	circulation.
3. Ce musée est très connu		*de la*	une réunion de travail.
4. Le chef n'est pas arrivé à l'heure	*à cause*	*du*	une nouvelle organisation du travail.
5. Nous ne sommes pas partis		*d'*	son grand âge.
6. On a fini aujourd'hui à 20 heures		*des*	contrôles de vitesse.
7. Maintenant je travaille beaucoup plus			mauvais temps.

1. *Ma mère ne peut plus voyager à cause de son grand âge.*
2. ....
3. ....
4. ....
5. ....
6. ....
7. ....

► **Après exercice 6, page 110**

Exercice 6

A Trouvez l'intrus ! Quel mot ne va pas avec les autres ?

1. intéressant, étendu, rapide, ensemble, pareil
2. coûter, indiquer, chéquier, héler, signaler
3. l'unité, l'arrivée, l'année, l'accès, l'ampoule
4. marchera, saura, reliera, va, roulera
5. entre, beaucoup, selon, sans, après
6. énormément, justement, longtemps, supplément, particulièrement

B Vérifiez maintenant votre choix !

a. Ce n'est pas une préposition : *beaucoup*

b. Ce n'est pas un verbe au futur : ....

c. Ce n'est pas un adjectif : ....

d. Ce n'est pas un verbe : ....

e. Ce n'est pas un adverbe : ....

f. Ce n'est pas un nom au féminin : ....

Exercice 7

Comparatif et superlatif : *plus, moins, aussi, le plus, la plus, les plus*.
Écrivez pour chaque exemple quatre phrases.

Exemple : Trois personnes : Jean : pas sympathique ; Marie : sympathique ; Luc : très sympathique.

➢ *1. Jean est moins sympathique que Marie et Luc.*
2. Luc et Marie sont plus sympathiques que Jean.
3. Marie n'est pas aussi sympathique que Luc.
4. Luc est la personne la plus sympathique des trois.

a. Trois transports de Paris : le métro : très rapide ; le bus : rapide ; le taxi : assez rapide.

....

....

....

....

b. Trois musées : le Louvre à Paris : très célèbre ; le Prado à Madrid : célèbre ; le musée de la photographie à Bièvres : pas célèbre.

....

....

....

....

Exercice 8

Écrivez six phrases avec les éléments des quatre tableaux.

J'ai	*décidé*	de	*faire des présentations de produits.*
Nous devons	*proposera*	de	*parler avec les journaux de cette réunion secrète.*
L'entreprise	*essayer*	de	*vendre nos produits en Asie.*
Elle s'est	*envisage*	de	*travailler plus pour moins d'argent.*
Comme toujours le patron	*arrêtée*	de	*moderniser les services administratifs.*
Nous avons	*interdis*	de	*financer une salle de sport.*
Je vous	*essayé*	de	*suivre le guide.*

1. *J'ai essayé de suivre le guide.*
2. ....
3. ....
4. ....
5. ....
6. ....
7. ....

Exercice 9A

Une lettre d'Édouard à Charlotte.
Conjuguez les verbes entre parenthèses (attention au temps) et complétez la lettre avec les mots suivants :

plus	*d'abord*	*bateau-mouche*	*bons*	*fenêtre*	*que*	*record*	*pleines*

Paris, le 2 septembre

Chère Charlotte,

Tout .... je .... (s'excuser) de ne pas t'avoir écrit depuis les vacances d'été. Mais tu .... (aller) comprendre pourquoi. Comme on .... (dire), je .... (monter) à Paris il y a deux mois. J' y .... (trouver) un emploi beaucoup .... intéressant .... celui d'avant et très bien payé.
J' .... (habiter) dans le troisième arrondissement (dans le quartier du Marais).
J' .... (acheter) un petit appartement. De ma .... je .... (pouvoir) voir le musée Picasso. En 10 minutes je .... (être) au bureau : un temps .... ! Viens me voir quand tu .... (vouloir). Je te .... (faire) découvrir cette ville superbe : ses musées, ses théâtres, ses magasins, ses rues .... de charme. On .... (visiter) Paris en .... Nous .... (marcher) dans toutes les rues (enfin presque !). Je .... (connaître) déjà de .... restaurants.
Tu .... (être) enchantée. C'est la plus belle ville du monde !
Je t' .... (attendre).

Bons baisers de Paris !

Édouard

PS : Mon adresse : 6, rue de Thorigny, 75003 Paris.

B *La lettre de Charlotte à Edouard.* Formulez la réponse de Charlotte.

1. Commencez la lettre par « Cher Edouard ».
2. Vous le remerciez pour sa lettre et son invitation.
3. Vous écrivez que vous ne connaissez pas bien Paris et que cela vous plairait beaucoup d'y aller.
4. Vous donnez des exemples de visites que vous désirez faire.
5. Vous proposez à Edouard de venir le week-end du 10 au 13 octobre.
6. Vous dites que vous êtes heureuse de le revoir et finissez votre lettre par « Charlotte qui pense à toi. »

► **Après la grammaire, page 111** 

Exercice 10

Savoir + conjonction = *savoir + qui / que / quand / pourquoi / combien / comment / où / quelle*
Dans les phrases suivantes ajoutez la forme correcte du verbe *savoir* et la bonne conjonction.

Exemple : ➢ Vous *savez* très bien *que* cet exercice est nécessaire !

1. Vous .... Martine ne va pas au dîner d'affaires ?
   Oui, à cause d'un autre rendez-vous. Et je .... a invité Martine !

2. Vous .... coûte un ticket de métro.

Je ne .... pas. Je ne prends jamais le métro.

3. Maintenant elle .... on remplit correctement ces fiches.

4. Nous sommes très heureux : nous .... enfin à .... nous adresser pour ne plus payer d'impôts.

5. Tu .... ça me plairait de revoir ce film ?

Oui, je .... Mais ça ne me dit rien.

6. Mais ce n'est pas possible ! Ils ne .... même pas .... se trouve la maison de Victor Hugo !

7. Il .... elle va revenir travailler ? Demain ou après-demain ?

8. Nous .... direction il faut prendre pour aller à Pigalle.

► **Après la grammaire, page 112**

Exercice 11

Est-ce que vous le savez ? Cochez la bonne réponse.

1. Paris a combien d'arrondissements ?
- ❑ a. 18
- ❑ b. 19
- ❑ c. 20

2. La Tour Eiffel mesure :
- ❑ a. 299 mètres
- ❑ b. 321 mètres
- ❑ c. 358 mètres

3. L'Opéra de Paris a été construit de 1861 à 1870 d'après les plans de l'architecte
- ❑ a. Georges Haussmann
- ❑ b. Charles Garnier
- ❑ c. Jean Chalgrin

4. L'Académie Française comprend 40 personnes, appelées Académiciens. Où se rencontrent-ils ?
- ❑ a. au Palais de l'Institut
- ❑ b. au Palais du Louvre
- ❑ c. à l'Hôtel de Ville

5. Quel est le plus grand musée de Paris ?
- ❑ a. Le Louvre
- ❑ b. Le Centre Pompidou
- ❑ c. Le musée d'Art Moderne

6. À Paris il est interdit de
- ❑ a. se promener en pyjama
- ❑ b. jouer à un jeu d'argent dans la rue
- ❑ c. héler les touristes

7. Dans quel musée peut-on voir des personnes célèbres en cire ?
- ❑ a. le musée Carnavalet
- ❑ b. le musée Grévin
- ❑ c. le musée Jacquemart-André

8. Dans le quartier du Marais il y a beaucoup de grandes maisons appelées Hôtels. Le musée Picasso se trouve dans quel Hôtel ?
- ❑ a. L'Hôtel de Rohan
- ❑ b. L'Hôtel de Sully
- ❑ c. L'Hôtel Salé

Si vous avez 8 bonnes réponses : vous êtes excellent, bravo !
Si vous avez entre 6 et 4 bonnes réponses : vous n'avez pas compris toutes les questions.
Si vous avez moins de 4 bonnes réponses : allez à Paris pour vérifier les réponses.

UNITÉ 12

EN CAS DE MALADIE

Pages 115 à 126

Exercice 1

► Après « Je voudrais prendre rendez-vous ... », page 115

A Écrivez des phrases selon le modèle.

Exemple : ce mot / prononcer : ➢ *Ce mot, ça se prononce comment ?*

1. cet exercice / faire : ....
2. cette porte / fermer : ....
3. le code de la route / apprendre : ....
4. la facture / régler : ....
5. les fleurs / offrir : ....
6. une roue / changer : ....
7. ces poissons / cuisiner : ....

B Formulez les questions d'une manière plus élégante. Attention : quand on pose une question à la troisième personne du singulier et que le verbe se termine par *e*, il est nécessaire, pour la prononciation, d'ajouter un *t*.

Exemple : ➢ *Comment prononce-t-on ce mot ?*

1. ....
2. ....
3. ....
4. ....
5. ....
6. ....
7. ....

Exercice 2

► Après exercice 4, page 118

Formez quatre petits dialogues en prenant une phrase de chaque colonne.

Je voudrais un rendez-vous.	*Aujourd'hui ? À 10 heures ?*	*Ça doit être une indigestion.*
Ça s'écrit comment ?	*Oui, beaucoup.*	*Depuis trois jours.*
Vous toussez ?	*J'ai mal au ventre.*	*Prenez ce sirop.*
Docteur, j'ai mal à la tête.	*Depuis quand ?*	*Oui, ça ira.*
Qu'est-ce que vous avez ?	*D.E.K.N.U.Y.D.T.*	*Vous pouvez répéter, s'il vous plaît ?*

Exercice 3

Exprimez la même chose mais avec *se faire*. Attention au temps des verbes.

Exemple : L'assurance rembourse Frank. ➢ *Frank se fait rembourser par l'assurance.*

1. Gérard invitera Monique. ....
2. Le médecin endort le malade. ....
3. La téléphoniste nous indique le chemin. ....
4. Le comptable m'appellera. ....
5. La secrétaire apportera les documents aux ingénieurs. ....
6. Chisto Ordi vous fait un pantalon. ....
7. Deux touristes hèlent un chauffeur de taxi. ....

▶ **Après exercice 5, page 119**

Exercice 4

Qu'est-ce qu'il faut faire et qu'est-ce qu'il ne faut pas faire pour garder la forme ?
Écrivez les conseils suivants dans la bonne colonne.

boire beaucoup de vin - manger des fruits et des légumes - travailler quand on a sommeil aller au bureau à pied - faire du sport - sortir tous les soirs - prendre des fortifiants fumer 20 cigares par jour - aller au lit pas trop tard - manger 8 pâtisseries par jour boire beaucoup d'eau - dépendre des médicaments

Il faut	Il ne faut pas ....
....	....
....	....
....	....
....	....
....	....

Exercice 5

De la tête aux pieds ou des pieds à la tête!
Que signifient ces expressions ?

1. être une fine bouche
2. ne pas pouvoir fermer les yeux
3. se trouver nez à nez
4. avoir les yeux plus grands que le ventre
5. avoir bon pied bon œil
6. coûter les yeux de la tête
7. n'écouter que d'une oreille
8. mettre la dernière main à quelque chose

a. prendre plus qu'on ne peut manger
b. être très cher
c. finir quelque chose
d. ne pas faire très attention
e. aimer la bonne cuisine
f. être face à face
g. ne pas pouvoir s'endormir
h. avoir encore beaucoup d'énergie

► Après exercice 6, page 121 

Exercice 6

Complétez les phrases avec les pronoms toniques : *moi, toi, elle, lui, nous, vous, elles, eux.*

Exemple : Je vais au cinéma. Tu veux venir ?
➢ Oui, je viens avec *toi.*

1. Surtout envoie les feuilles de maladie ! Oui, tu peux compter sur ....
2. Le docteur habite loin de chez vos parents ? Non, il habite près de chez ....
3. Comme toujours c'est à moi de téléphoner au bureau ! Oui, c'est à ....
4. Claire et Lise vont à la piscine ! Je peux y aller avec .... ?
5. Vous pensez qu'avec ce traitement je vais garder la forme ? Eh bien, cela dépend de ....
6. Tu feras tout le nécessaire pour Louise ? Pour ...., bien sûr !
7. .... aussi, après un long voyage en voiture nous souffrons du dos.
8. Et ...., il a aussi été témoin de l'accident ?

Exercice 7

Définitions : Qui est-ce ? Qu'est-ce que c'est ? Trouvez les personnes ou les objets.

1. C'est quelqu'un qui fait des ordonnances. *C'est un médecin.*
2. C'est quelqu'un qui a tout vu lors d'un accident. ....
3. C'est quelque chose qu'on doit remplir pour être remboursé. ....
4. C'est quelque chose qui a deux roues et a besoin d'essence. ....
5. C'est quelqu'un chez qui vous achetez des médicaments. ....
6. C'est quelque chose qui est installé dans la rue et marche pendant la nuit. ....

► Après exercice 9, page 123 

Exercice 8

De, du, à, au, aux : qu'est-ce qui convient ?

1. Annick regarde ! Un automobiliste a heurté un cycliste. Il est tombé .... son vélo.
2. Téléphone .... la police et .... SAMU.
3. Comment empêcher les gens .... rouler aussi vite !
4. Où ont-ils appris .... conduire ?
5. Maintenant nous devons répondre .... questions de la police.
6. Nous essayons .... raconter ce qui s'est passé.
7. Nous demandons .... médecin .... nous dire si le cycliste pourra encore faire du vélo.
8. « Ça dépend .... choc. Il n'a besoin .... rien. Il n'est pas blessé. », répond-il.

► Après exercice 10, page 124 

Exercice 9

Un participe présent se cache dans chaque série. Trouvez-le et écrivez le verbe à l'infinitif.

Exemple : comptant, habitants, assistante, fabricant ➢ *comptant, compter*

1. charmante, croissants, conduisant, élégant : ....
2. avant, tombant, collants, saignants : ....
3. fortifiants, pendant, buvant, volants : ....
4. gérants, instant, enfant, voyant : ....
5. restaurants, montants, remplissant, représentante : ....
6. connaissant, glissante, commerçants, cadran : ....

Exercice 10

Pour chaque phrase trouvez le bon verbe et utilisez le gérondif.

écrire	*dessiner*	*croquer*	*~~manger~~*	*écouter*	*faire*	*prendre*	*tourner*	*déplacer*

1. L'appétit vient en *mangeant.*
2. .... ce comprimé vous n'aurez plus mal au ventre.
3. Il s'est cassé une dent .... du chocolat.
4. J'ai pensé à toi .... cet article.
5. .... à gauche nous arriverons avant lui.
6. .... le blessé comme ça vous allez lui faire mal.
7. C'est .... le plan que j'ai compris les témoins.
8. Impossible de travailler .... de la musique rock !
9. Je me suis endormi .... cet exercice.

▶ Après exercice 2, page 128

Exercice 1

Pourquoi sont-ils absents ? Trouvez la raison.

Exemple : Elisabeth attend un enfant. ➢ Elle est en *congé de maternité*.

1. Pascal et Norbert travaillent sur les ventes avec le chef et les collègues.

Ils sont en ....

2. Raoul a une grippe depuis six jours.

Il est en ....

3. Anne et Guy passent trois semaines à la mer.

Ils sont en ....

4. Marie rend visite aux clients italiens.

Elle est en ....

5. Sylvie et Corinne suivent un cours d'informatique.

Elle sont en ....

Exercice 2

A Complétez le tableau.

	adjectifs au masculin	**adjectifs au féminin**	**adverbes**
	amoureux	amoureuse	*amoureusement*
1.	rapide	....	....
2.	malheureux	....	....
3.	....	efficace	....
4.	certain	....	....
5.	directe	....	....
6.	énorme	....	....
7.	....	avantageuse	....
8.	prochain	....	....

B Qu'est-ce qui manque dans ces phrases ? Un adverbe ou un adjectif ?
Utilisez les adverbes et les adjectifs du tableau 2A.

1. ...., aujourd'hui je n'ai pas pu rencontrer la directrice commerciale : elle est malade. 2. Elle a une façon de parler .... qui me plaît .... 3. C'est une employée .... : elle travaille .... 4. Si elle vous dit « vous recevrez très .... nos brochures », elles arrivent trois jours plus tard. 5. C'est ...., sans elle l'entreprise ne serait pas aussi .... connue.

Exercice 3

► Après exercice 3, page 129 

Qu'est-ce que vous dites quand quelqu'un... ?

Exemple : ... part en week-end ➢ *Bon week-end.*

1. ... part en vacances : ....
2. ... part en voyage : ....
3. ... prend la route ou l'autoroute : ....
4. ... va le soir au théâtre : ....
5. ... va au lit : ....
6. ... fête son anniversaire : ....
7. Et qu'est-ce que vous dites quand l'année commence ? ....

Exercice 4

Connaissez-vous le conditionnel présent de quelques verbes irréguliers ? Complétez le tableau.

	infinitif	futur simple	conditionnel présent
1.	être	je	je ....
2.	....	tu auras	tu ....
3.	....	il	il viendrait
4.	aller	elle	elle ....
5.	....	on rappellera	on ....
6.	faire	vous	vous ....
7.	....	nous payerons / paierons	nous ....
8.	voir	ils	ils ....
9.	....	elles sauront	elles ....
10.	devoir	je	je ....

Exercice 5

Le conditionnel : expression de la politesse, des conseils et des désirs.

A Répondez aux questions poliment avec le verbe *vouloir.*

Exemple : Vous voulez une ou deux aspirines ? ➢ *Je voudrais deux aspirines.*

1. Vous voulez des espèces ou des chèques de voyage ? ....
2. Tu veux déposer ou retirer de l'argent ? ....
3. Ils veulent une glace ou une crème caramel ? ....
4. Il veut un steak saignant ou à point ? ....
5. Lise et Luc, vous voulez visiter le Louvre ou le musée d'Orsay? ....

B Demandez la même chose mais plus poliment.

Exemple : Il est d'accord pour le rencontrer ? ➢ *Il serait d'accord pour le rencontrer ?*

1. Vous avez le programme du voyage ? ....
2. Tu peux prendre les appels pendant mon absence ? ....
3. Mademoiselle Lupin, vous pouvez nous servir le café ? ....
4. Vous savez où est le document marqué confidentiel ? ....
5. Vous voulez traduire cette lettre en allemand ? ....

C Donnez des conseils avec le verbe *devoir*.

Exemple : il / rappeler dans la semaine ➢ *Il devrait rappeler dans la semaine.*

1. vous / compléter cette documentation ....
2. elle / faire un stage de formation ....
3. vous / contacter au plus vite Marceau ....
4. ils / suivre vos conseils ....
5. tu / parler au chef de production ....

D Exprimez des désirs à l'aide du verbe *aimer*.

Exemple : je / parler couramment chinois ➢ *J'aimerais parler couramment chinois.*

1. tu / passer trois mois au Canada ? ....
2. nous / visiter votre nouvelle usine ....
3. il / faire du théâtre ....
4. je / avoir plus de loisirs ....
5. je / connaître le Danemark ....

E Et vous, qu'est-ce que vous aimeriez encore faire, voir etc. ? Écrivez cinq phrases.

1. ....
2. ....
3. ....
4. ....
5. ....

Exercice 6

▶ Après exercice 4, page 130 

Lisez encore plusieurs fois les phrases clés de cette leçon et trouvez les bonnes questions.

1. .... ?

- Très bien, merci. Et toi ?

2. .... ?

- Oh oui, et même de très bonnes vacances.

3. .... ?

- Malheureusement non, le chef des ventes est en réunion.

4. .... ?

- De Pascal Ottheau, de la société ITOU.

5. .... ?

- Écoutez, vous pourrez le joindre demain vers 10 heures.

6. .... ?

Exercice 7

▶ Après note culturelle, page 133 

Quel est le bon adjectif possessif ? *sa, son, ses, leur, leurs ?*

Exemple : Les affaires de monsieur Roulepp marchent très bien. ➢ *Ses affaires marchent très bien.*

1. Vous voulez prendre la place du chef ? ....
2. Nous contactons les clients de la société BAZARD. ....
3. Il me fait connaitre la proposition des associés. ....
4. Nous avons bien lu les rapports du représentant. ....
5. L'adjoint de monsieur Bizet est absent depuis deux semaines. ....
6. La responsabilité dépend des apports des associés. ....
7. Je voudrais parler à la secrétaire de madame Emanzo. ....
8. Les actions des sociétés anonymes sont cessibles librement. ....
9. Le capital de ces sociétés ne suffit pas comme apport. ....

UNE EMBAUCHE

Pages 135 à 142

▶ Après « Pourquoi travailler avec nous ? », page 135

Exercice 1

Pourquoi voulez-vous travailler chez nous ?
Remettez de l'ordre dans les réponses suivantes et mettez les verbes principaux au conditionnel présent.

1. je / à / un / temps / désirer / emploi / complet

....

2. je / quelque chose / intéressant / faire / plus / vouloir / de

....

3. je / à / professionnelle / votre / mon / mettre / service / expérience / aimer

....

4. je / une / efficace / travailler / avec / vouloir / équipe

....

5. je / entreprise / travailler / internationale / désirer / une / dans

....

6. je / aussi / d'une / être / vouloir / la vôtre / service / que / entreprise / au / reconnue

....

7. je / joindre / à / collaborateurs / me / de / aimer / l'équipe / vos

....

8. je / formation / dans / en / ma / votre / désirer / d'ingénieur / pratique / société / mettre

....

Exercice 2

Comment ? Pourquoi ? Qu'est-ce que ?
Qu'est-ce qui convient ?

1. ● Bonjour Jacques. .... vas-tu ?
2. ◆ Oh, pas très bien !
3. ● .... tu as ?
4. ◆ Je cherche un nouveau travail.
5. ● .... ? Ton boulot ne te plaît plus ? .... tu voudrais faire ?
6. ◆ Eh bien, par exemple travailler à l'étranger.
7. ● Mademoiselle Bonpin, ... n'avez-vous pas encore téléphoné à monsieur Touban ?
8. ◆ Je n'ai pas eu le temps. .... je dois d'abord faire, téléphoner ou finir la lettre ?
9. ● Téléphonez. Et le client belge ? .... il fait ? Vous savez .... il n'est pas encore là ? Ça fait une heure que je l'attends.
10. ◆ Désolée ! Je ne sais pas.
11. ● .... il s'appelle déjà ?
12. ◆ Maurice Maetirlenk.

Exercice 3

▶ Après exercice 1, page 136 

Répondez en utilisant *ne ... aucun* ou *ne ... aucune*.

Exemples :

Vous avez de l'expérience dans ce département ?
➢ *Non, je n'ai aucune expérience dans ce département.*

Avez-vous compris les questions ?
➢ *Non, je n'ai compris aucune question.*

1. Antoine, connais-tu les candidats personnellement ?

....

2. Parlent-ils des langues étrangères ?

....

3. Mademoiselle Espio, avez-vous obtenu des renseignements supplémentaires sur eux ?

....

4. Ont-ils des activités extra-professionnelles ?

....

5. Ont-ils vu un inconvénient à se présenter samedi matin ?

....

6. Y a-t-il des femmes dans les candidats ?

....

Exercice 4

Ça vient d'arriver ! Venir de + infinitif. Transformez les phrases selon le modèle.

Exemple : J'ai lu ton article dans le journal il y a un instant.
➢ *Je viens de lire ton article dans le journal.*

1. Marie et Jean se sont présentés, il y a une heure, à un emploi de comptable chez BABOUT.

....

2. La société BABOUT s'est implantée en Hollande il y a une semaine.

....

3. Ce matin nous avons reçu des renseignements très intéressants sur cette société.

....

4. Alors comme ça, vous avez fait la connaissance de son P-DG il y a une heure !

....

6. Tu as été embauchée, il y a trois jours, chez BABOUT ? C'est super !

....

Exercice 5

▶ Après exercice 3, page 137

Fabienne pose d'autres questions à Claire. Pouvez-vous les retrouver ?

1. .... ?

- Notre place sur le marché est très importante. Nous sommes leader.

2. .... ?

- Nous formons notre personnel par des stages de quatre à six semaines.

3. .... ?

- La période d'essai dure six mois.

4. .... ?

- Bien sûr, nous envisageons un salaire plus important après la période d'essai.

5. .... ?

- Nos conditions sont simples : efficacité et disponibilité.

6. .... ?

- Non, il n'y aura pas d'autres entretiens.

7. .... ?

- Nous pourrons vous donner une réponse dans deux semaines.

8. .... ?

- Nous vous préviendrons par téléphone puis par écrit.

▶ **Après la grammaire, page 140**

Exercice 6

Pronoms compléments : *le, la, les, en.*
Répondez aux questions en utilisant le pronom complément qui convient.

Exemples : Vous recevez la candidate ? ➢ *Oui, je la reçois.*
Vous cherchez encore des fabricants ? ➢ *Non, nous n'en cherchons plus.*

1. Vous préviendrez la directrice de son retour ? Oui, ...
2. Vous faites beaucoup de sport ? Non, ...
3. Elle acceptera le contrat ? Oui, ...
4. Nous avons assez d'associés ? Non, ...
5. Il rappellera les fournisseurs italiens ? Non, ...
6. Vous avez encore du travail ? Non, ...
7. Nadia, tu es responsable de la gestion des stocks ? Oui, ...
8. Vous comprenez maintenant la fonction grammaticale des pronoms compléments ?

   Oui, bien sûr ....

SOLUTIONS

UNITÉ 1

1 *masculin :* vin, champagne, bistro, parfum, croissant, camembert, restaurant, pain, tour de France, bonbon, métro - *féminin :* couture, radio, mode, baguette, tour Eiffel, mer Méditerranée, cuisine, boutique, santé

2 *adjectifs masculins :* mexicain, français, japonais, polonais, américain, italien - *adjectifs féminins :* mexicaine, française, japonaise, polonaise, américaine, italienne

3 *M. Ma. :* (...) J'ai rendez-vous avec madame Rivoli. *Récept. :* C'est de la part de qui ? *M. Ma. :* Je m'appelle Luc Macroni. Je suis le directeur de l'usine Nouilli. *Récept. :* Madame Rivoli arrive. *M. Ma. :* Merci, madame.

4 1. Il s'appelle... Il est allemand. Il est... Il habite... 2. Elle s'appelle... Elle est américaine. Elle est... Elle habite... 3. Elle s'appelle... Elle est italienne. Elle est... Elle habite... 4. Il s'appelle... Il est polonais. Il est... Il habite... 5. Il s'appelle... Il est japonais. Il est... Il habite... 6. Elle s'appelle... Elle est mexicaine. Elle est... Elle habite...

5 1. le, la, une, un - 2. des, des - 3. la - 4. les, la

6 1. e - 2. g - 3. a - 4. f - 5. b - 6. d - 7. c

7 1. Nous - 2. Elles - 3. Ils / Elles - 4. Vous - 5. Tu - 6. Ils / Elles - 7. Je / Il / Elle / On - 8. Il / Elle / On - 9. Nous

8 1. êtes - 2. m'appelle - 3. avez - 4. suis - 5. arrivent

9 1. sont - 2. travaillent - 3. a - 4. sommes - 5. habitent - 6. êtes - 7. visitons, rencontrons - 8. téléphones

UNITÉ 2

1 1. d - 2. i - 3. f - 4. g - 5. h - 6. a

2 *Questions :* 1. Qui êtes-vous ? 2. Quelle est votre nationalité ? 3. Où habitez-vous ? 4. Quelle est votre profession ? 5. Où travaillez-vous ? 6. Vous parlez japonais ? - *Réponses :* Je suis... / Je m'appelle... - Je suis... - J'habite... - Je suis... - Je travaille pour la société... / chez... - Oui, je parle japonais. / Non, je parle...

3 dix - cinq - six - trois - seize - sept - huit // *vertical :* dix-sept

4 *horizontal : (vingt-deux),* deux, six, huit, zéro, dix, seize, vingt
vertical : trente, vingt-six, douze, quatre, dix-huit
1. quatorze - 2. vingt-quatre - 3. vingt-huit

5 1. directeur - 2. société - 3. cherche - 4. usine - 5. informatique - 6. nouveau
La société informatique, Label, cherche pour une nouvelle usine à Toulon, un nouveau directeur.

6 1. Quel est votre nom ? 2. Quel est votre prénom ? 3. Quelle est votre nationalité ? 4. Où habitez-vous ? 5. Quel âge avez-vous ? 6. Quelle est votre profession ? 7. Où travaillez-vous ? 8. Êtes-vous célibataire ? 9. Avez-vous des enfants ? / Avez-vous une fille ?

7A *masculin :* le Canada, le Danemark, le Portugal, le Japon, le Mexique - *féminin :* la Suisse, l'Espagne, l'Angleterre, la Grèce, la Hongrie, l'Italie, la France, la Pologne, la Roumanie
7B 1. à - 2. chez - 3. au - 4. chez - 5. aux - 6. en, à - 7. au - 8. en - 9. à

8A/B 1. célibataire - 2. cadre - 3. fabrication - 4. habite - 5. heureux

9 1. mon - 2. mon - 3. ma - 4. mes - 5. Notre

10 1. c - 2. a - 3. a - 4. b - 5. b - 6. c

11 *Solutions possibles :* 1. J'habite Cologne. 2. Ma femme travaille dans une petite entreprise. 3. Notre entreprise recherche un ingénieur. 4. Nous avons trois enfants. 5. Je suis marié. 6. Ma femme dirige une société d'informatique. 7. Nous travaillons avec le Portugal.

UNITÉ 3

1 a. (1) commercial - b. (3) personnel - c. (2) secrétaire - d. (4) prennent l '(6) avion - e. (7) collègues - f. (8) réserve (5) chambres

2 2. Bonjour, réserver, s'il vous plaît - 3. combien - 4. seulement - 5. désolé - 6. Merci bien, Au revoir

3 9. - 8. - 6. - 5. - 2. - 4. - 1. - 10. - 3. - 7.

4 1. prends - 2. prend - 3. prenez - 4. prends - 5. prend - 6. prenons - 7. prennent

5 1. très - 2. seulement - 3. aussi - 4. où - 5. aussi

6 *(Hôtel)* Oui, madame. Pour combien de personnes ? Oui. Pour combien de nuits ? Une chambre avec douche et W-C ? C'est à quel nom ? Et votre numéro de téléphone ?

7 1. b - 2. c - 3. a - 4. c

8 13 : treize - 44 : quarante-quatre - 57 : cinquante-sept - 19 : dix-neuf - 52 : cinquante-deux - 60 : soixante - 14 : quatorze - 55 : cinquante-cinq - 49 : quarante-neuf - 41 : quarante et un - 35 : trente-cinq - 38 : trente-huit

9A 1. Je voudrais - 2. Nous voudrions
9B elle / il / on veut, nous voulons, vous voulez

10 1. Je voudrais rencontrer le directeur financier. 2. Je voudrais visiter votre nouvel hôtel. 3. Je voudrais travailler dans une usine de voitures. 4. Je voudrais demander le prix des chambres. 5. Je voudrais remercier Jean pour la lettre. 6. Je voudrais parler avec la femme du directeur. 7. Je voudrais avoir une grande famille.

UNITÉ 4

1 1. chez - 2. de, à, à, pour - 3. à, pour - 4. à - 5. à, pour - 6. Pour, à, à

2 *Solutions possibles :* 1. *Les cadres de l'entreprise :* le directeur technique, le directeur administratif, la directrice commerciale, le directeur des ressources humaines, la directrice financière - 2. *Les pays d'Europe :* la France, l'Espagne, l'Italie, l'Allemagne, la Belgique - 3. *L'hôtel :* le réceptionniste, la chambre, la douche, le prix, la réservation - 4. *La famille :* le père, la mère, la fille, le fils, la sœur - 5. *Les jours de la semaine :* le lundi, le mardi, le mercredi, le jeudi, le vendredi

3 1. peut, peut - 2. peux, peut - 3. peuvent - 4. pouvons - 5. peux

4A 2. partir - 3. téléphoner - 4. confirmer - 5. réserver - 6. visiter - 7. demander - 8. diriger - 9. changer - 10. travailler
4B 1. travailler, partir - 2. changez, visiter - 3. téléphonez, demandez, réserve - 4. confirme - 5. arrivez, dirige

5 1. Vous pouvez être revenu pour le 16 juin. 2. Nous revenons en France le 10 novembre. 3. Ils partent de Barcelone à 7 h 20. 4. Tu prends l'avion de 6 heures. 5. Je pars toujours pour le Canada en été. 6. Vous revenez en

Suisse dans une semaine. 7. Elles arrivent à Brest vers 14 heures. 8. Tu reviens pour l'anniversaire de notre fille.

6 1. b - 2. c - 3. a - 4. b

7A 1. Est-ce que vous êtes la nouvelle directrice ? 2. Qu'est-ce que vous faites le premier janvier ? 3. Qu'est-ce que vous pouvez faire à Venise ? 4. Est-ce que vous prenez l'avion ou le train ? 5. Est-ce que vous revenez jeudi ? 6. Qu'est-ce que vous écrivez ?
7B *Solutions possibles :* 1. Oui, je suis la nouvelle directrice. 2. Je pars pour Venise. 3. Je visite la ville et rencontre des collègues. 4. Je prends l'avion. 5. Non, je reviens samedi dans l'après-midi. 6. J'écris mon numéro de téléphone.

UNITÉ 5

1 1. Tout - 2. tous - 3. toute - 4. tous - 5. toute - 6. Tous - 7. toutes - 8. tous - 9. tout - 10. Toutes

2 1. f - 2. e - 3. g - 4. b - 5. c - 6. a - 7. d

3 1. Voilà - 2. valable - 3. visiter - 4. Vous - 5. venir - 6. vente - 7. voyage - 8. voiture

4 1. être - 2. suivre - 3. suivre - 4. être - 5. être - 6. être

5 Dans le train pour Angers, Claire et Paul font la connaissance d'un passager italien. C'est sa première visite en France. Il travaille chez Progetti à Milan. Il est chef de publicité. Il n'est pas en vacances. Il parle très bien le français. Il a appris le français au collège. Il suit des cours de français depuis six mois chez Progetti.

6 1. à l' - 2. à la, à la - 3. Au, à l' - 4. au, à, aux - 5. à la, aux, au, à l'

7 1. Non, ce n'est pas ma première visite en Suède. 2. Non, je n'apprends pas le suédois. 3. Non, je n'ai plus de rendez-vous. 4. Non, je ne prends pas le taxi pour aller à l'hôtel. 5. Non, je n'ai plus de billets de métro.

8 1. Vous ne revenez pas demain ? 2. Tu n'as pas encore... ? 3. Nous ne sommes pas chargés de l'affaire ! 4. Ils ne partent pas... 5. Elle ne téléphone pas ... 6. Je ne suis pas là...

9 *À la gare :* À quelle heure part le prochain train pour Brest ? - Il arrive à Brest à quelle heure? - Un aller-retour, s'il vous plaît. Ça fait combien ? - Quel quai ?
À l'agence de voyages : Bonjour, monsieur. Mercredi prochain j'ai un rendez-vous d'affaires à Nice à 14 heures. Est-ce qu'il y a un train vers 11 heures ? - Oui, madame. Vous pouvez prendre le train de 11 h 32. - À quelle heure le train arrive-t-il à Nice ? - À 13 h 26. - Je voudrais être de retour avant 20 h. - Il y a un train à 17 h 35. Il arrive ici à 19 h 20. - Vous pouvez me réserver un aller-retour ? - Oui, madame.

10 1. finit - 2. finissent - 3. finissez - 4. finis - 5. finissons - 6. finis - 7. finit

11 1. Vous prenez la direction Balard. 2. Vous êtes en voyage d'affaires ? 3. Je n'ai pas de monnaie. 4. Je suis un cours de vente depuis deux mois. 5. Vous êtes le chef de publicité ? 6. Je voudrais partir pour le Canada. 7. Je n'ai pas appris le français au collège.

12 1. ≠ - 2. = - 3. ≠ - 4. = - 5. = - 6. ≠ - 7. = - 8. ≠ - 9. ≠

UNITÉ 6

1A « Ah ! Vous ne servez pas le petit-déjeuner ? »
1B servir
1C Je sers - Tu sers - On sert - Nous servons - Vous servez - Ils servent

2A/B 1. le petit déjeuner, le déjeuner, la clef, le dîner - 2. la piscine, la salle de sport, le sauna, le restaurant - 3. la nuit, le téléphone, la télévision, le fax - 4. la soirée, la journée, la fiche, la semaine - 5. le permis de conduire, le déplacement, le passeport, la pièce d'identité
2C 1. déplacement - 2. nuits - 3. fiche - 4. clef. - 5. restaurant

3A 7 - 2 - 4 - 6 - 8 - 9 - 1 - 3 - 5

3B 1. Nous prenons le train... - 2. Nous arrivons à 9 h 40… - 3. Nous prenons un taxi... - 4. Nous avons une réunion... - 5. Nous discutons... - 6. De midi à 14 h nous déjeunons… - 7. À 14 h 30 nous visitons l'usine. - 8. À 16 h nous... - 9. Nous repartons...

4 1. cet, ce - 2. ce - 3. cette, cette, Cette - 4. Ces, ces, ce - 5. ce - 6. ce - 7. cet - 8. ce, ce - 9. cet

5 1. a - 2. c - 3. b - 4. b

7 1. de nouveaux modèles 2. ces constructions modernes 3. les annonces, les journaux 4. Ces beaux appartements donnent 5. Mes collègues sont, des semaines 6. Ces hôtels sont confortables, ceux-ci sont climatisés 7. ces chaises, celles-ci

8 *Solutions possibles :* 1. Il veut acheter une belle maison en Provence. 2. Il visite une maison ancienne adaptée au style régional. 3. Au rez-de-chaussée, il y a une cuisine et une salle à manger. 4. Le salon donne sur un immense parc. 5. À l'arrière de la maison, il y a un grand cellier. 6. Monsieur Chopin trouve la cuisine et la salle à manger trop petites. 7. L'étage comprend trois chambres et une salle de bains. 8. Il y a, à côté de la maison, un nouveau garage pour deux voitures. 9. Monsieur Chopin trouve la maison très belle mais bien trop chère.

UNITÉ 7

1A *(Infinitif, présent, participe) :* 1. réserver, je réserve, réservé - 2. apporter, j'apporte, apporté - 3. travailler, je travaille, travaillé - 4. proposer, je propose, proposé - 5. regarder, je regarde, regardé - 6. écouter, j'écoute, écouté - 7. parler, je parle, parlé - 8. inviter, j'invite, invité - 9. trouver, je trouve, trouvé - 10. choisir, je choisis, choisi
1B 1. a trouvé - 2. as réservé - 3. a apporté - 4. ont écouté - 5. a proposé - 6. avons parlé - 7. ai travaillé - 8. avons choisi - 9. as invité - 10. ont regardé

2 1. - Qu'est-ce que tu prends ? - Un steak. Et toi ? - Moi aussi. 2. - J'ai réservé une table. - À quel nom ? - Au nom de Dalhuin. 3. - Vous prenez une entrée ? - Oui. qu'est-ce que vous avez ? - Du melon ou des crevettes. 4. - Vous voulez le steak comment ? - À point, s'il vous plaît. - Très bien, monsieur.

3 1. Qu'est-ce que tu préfères, le melon ou les crudités ? 2. Qu'est-ce qu'il préfère, le steak bien cuit ou à point ? 3. Qu'est-ce que vous préférez, le veau ou l'agneau ? 4. Qu'est-ce qu'ils préfèrent, le poulet ou l'entrecôte ? 5. Qu'est-ce que tu préfères, la glace ou le sorbet ? 6. Qu'est-ce que vous préférez, les entrées ou les desserts ?

4 1. partir - 2. aimer - 3. beaucoup - 4. saignant - 5. trouver - 6. prendre - 7. noir - 8. ouvert
La région s'appelle : la Picardie.

5 *Professions :* le serveur, la serveuse, le/la réceptionniste, la femme de chambre, le barman - *Plats :* le poulet flambé, la côte d'agneau, l'escalope de veau, le steak au poivre, la sole à la normande - *Boissons :* le jus de fruits, le thé, l'eau, le lait, le chocolat - *Verbes :* boire, prendre, apporter, commander, vouloir

6A

Infinitif	manger	boire	prendre	avoir	être
Présent : je	mange	bois	prends	ai	suis
tu	manges	bois	prends	as	es
il / elle / on	mange	boit	prend	a	est
nous	mangeons	buvons	prenons	avons	sommes
vous	mangez	buvez	prenez	avez	êtes
ils / elles	mangent	boivent	prennent	ont	sont
Participe	mangé	bu	pris	eu	été

6B 1. ai eu - 2. avons pris - 3. a choisi - 4. a bu - 5. j'ai préféré - 6. a apporté - 7. avons mangé - 8. avons discuté - 9. a été

7 1. Oui, je la demande. 2. Non, on ne le prend pas. 3. Non, nous ne les mangeons pas. 4. Oui, je les commande. 5. Non, elle ne le veut pas. 6. Oui, on la partage.

8 1. Combien de billets est-ce que vous avez pris ? 2. Qu'est-ce que vous avez répondu au directeur ? 3. Comment est-ce qu'ils ont appris à faire la cuisine ? 4. Qu'est-ce que vous avez choisi comme entrée ? 5. Où est-ce qu'ils ont rencontré la secrétaire ? 6. Quand est-ce que tu as commencé à travailler ? 7. À quelle heure est-ce qu'elle a téléphoné ?

9 1. la, les, le - 2. une - 3. les, des - 4. les, la, une - 5. du, de la, des, de la, du, les

10 1. Non, aujourd'hui, ce n'est pas l'anniversaire de ma mère. 2. Non, je n'aime pas les restaurants japonais. 3. Non, je n'écoute pas de musique classique. 4. Non, je n'apprends pas le chinois. 5. Non, je ne prends pas de vacances en juin. 6. Non, je ne sers pas le café aux collègues. 7. Non, je n'ai pas de fille. 8. Non, je n'aime pas la coiffure de mon professeur. 9. Non, je ne lis pas le journal au petit-déjeuner. 10. Non, je ne bois pas de thé au lait le matin. 11. Non, je ne prends pas de café noir après le dîner. 12. Non, ce ne sont pas des questions intelligentes.

11 1. c - 2. f - 3. a - 4. g - 5. b - 6. d - 7 e

UNITÉ 8

1 1. vont - 2. vais - 3. va - 4. vont - 5. vas - 6. allez - 7. allons

2 1. h - 2. f - 3. g - 4. c - 5. b - 6. e - 7. a - 8. d

3A 1. déposer - 2. changer - 3. commander - 4. ouvrir - 5. verser - 6. signer - 7. composer - 8. retirer

3B *Solutions possibles :* 1. Hier Gérard a déposé de l'argent sur son compte. 2. Hier vous avez changé des francs en marks. 3. Hier tu as commandé des chèques de voyage. 4. Hier Julie a ouvert un nouveau compte dans une banque. 5. Hier le comptable a versé un salaire sur un compte. 6. Hier les ingénieurs ont signé un contrat. 7. Hier j'ai composé mon code confidentiel. 8. Hier nous avons retiré de l'argent dans un distributeur.

4 1. garantit - 2. vire - 3. bénéficions - 4. sont - 5. changent - 6. simplifie - 7. est - 8. a ouvert - 9. a signé - 10 a indroduit - 11. avons mis - 12. trouvons, désirons

5 1. Je voudrais changer (...) 2. (...) Vous pouvez ouvrir (...) 3. Nous voudrions payer (...) 4. Il faut décrire (...) 5. Nous pouvons changer (...) 6. Il ne faut pas tout raconter (...) 7. On peut payer (...)

6 1. Avoir une carte bleue (...) 2. Vos impôts sont débités (...) 3. (...) 7 jours sur 7. 4. (...) par virement automatique ? 5. Si vous avez un chéquier (...). 6. (...) ne fait pas le bonheur.

7 *Solutions possibles :* 1. À partir de juin, Chantal va passer trois mois à Lyon. 2. Dimanche après-midi, nous allons rendre visite à nos parents. 3. Demain soir, je vais dîner avec des amis au restaurant. 4. Jeudi à 14 heures, tu vas retirer trois mille francs. 5. À partir de lundi, vous allez pouvoir bénéficier du nouveau tarif. 6. Après-demain, Marc et Marie vont ouvrir un nouveau magasin.

UNITÉ 9

1 1. Tournez 2. Finissez 3. Partez 4. Passez 5. Écrivez 6. Trouvez 7. Revenez 8. Complétez 9. Lisez

2 1. font - 2. faites, faisons - 3. fait - 4. fais, fais

3 *Solutions possibles :* 1. Pour aller à la parfumerie Senbon, vous prenez la direction centre-ville. 2. Vous allez jusqu'à l'hôtel de ville. 3. Vous tournez à gauche et vous êtes alors dans l'avenue Chanelli. 4. Le magasin Senbon est au bout de l'avenue sur votre droite. 5. Chez Senbon, vous pouvez payer vos achats avec une carte de crédit.

4 *Solutions possibles :* 1. Chantal : Pardon, madame. Où se trouve le rayon vêtements, s'il vous plaît ?
2. Vendeuse : Est-ce que je peux vous aider ?
3. V. : Qu'est-ce que vous préférez comme couleur ?
4. V. : Vous faites du combien ?
5. Ch. : Ce pantalon, il coûte combien ?
6. Ch. : Est-ce que je peux l'essayer ?
7. Ch. : Est-ce que vous avez encore des collants rouges ?
8. Ch. : Est-ce que je peux payer avec une carte de crédit ?

5 1. plus, moins - 2. juste - 3. certainement 4. puis

6 1. e - 2. g - 3. f - 4. a - 5. b - 6. c - 7. d

7 1. Non, le studio n'est ni spacieux ni confortable. 2. Non, je n'ai rien à boire. 3. Non, je ne veux plus jouer aux échecs. 4. Non, le directeur ne viendra ni lundi ni mardi. 5. Non, ce midi, je ne mange rien. 6. Non, je n'ai besoin ni du plan ni de ces photos. 7. Non, il n' écoute plus ce disque compact. 8. Non, je n'aime ni le rose ni le noir.

8 1. le chapeau - 2. le chausson - 3. la chemise - 4. le pantalon - 5. la robe - 6. le collant - 7. la veste - 8. le chemisier - 9. la jupe - 10. le pyjama - 11. le manteau - 12. le caleçon

9 1. Je travaille (...) afin de pouvoir payer ma villa. 2. Tu envoies un fax afin de confirmer mon arrivée. 3. Il va en Suisse afin de déposer de l'argent sur un compte. 4. Nous envoyons des brochures afin de faire connaître nos produits. 5. Vous laissez un message afin d'informer le patron du changement de programme. 6. Ils se rencontrent au restaurant afin de parler affaires.

10 remercions - envoyons - brochures - tarif - proposons - gamme - vaste - trouverez - commande - mois - bénéficier - serons - lors - l'attente

11 1. rencontrerez, aimera - 2. signerez, rendra - 3. interrogera, direz - 4. envisagerez, sera - 5. prendra - 6. traverserez, reviendra - 7. aidera - 8. tournerez, commencerez - 9. passerez - 10. partirez, découvrirez - 11. aurez, pourrez - 12. trouverez

12 *Solutions possibles :* 1. J'achèterai à mes parents pour Noël un très beau livre sur les régions touristiques d'Allemagne. 2. L'année prochaine, je passerai mes vacances en Normandie. 3. Lundi prochain, je n'aurai certainement pas le temps d'aller au cinéma. 4. Je pourrai visiter le musée du Louvre à Paris dans un mois. 5. Le jour de mon anniversaire, j'inviterai tous mes amis pour faire la fête. 6. Quand je ne travaillerai plus, je ferai le tour du monde.

UNITÉ 10

1 1. Vous avez de l'essence sans plomb ? 2. Vous pouvez vérifier la pression des pneus ? 3. Vous pouvez laver la voiture ? 4. Je vous dois com-bien ? 5. Voilà un billet de 200 francs. 6. Je suis désolé(e), je n'ai plus de monnaie. 7. Vous me donnez un reçu, s'il vous plaît ?

2 1. pour - 2. /, de - 3. de - 4. / - 5. de, de - 6. / - 7. / - 8. pour, / - 9. de, pour

3A 1. interdire : l'interdiction 2. circuler : la circulation 3. vérifier : la vérification 4. réparer : la réparation 5. contrôler : le contrôle 6. s'arrêter : l'arrêt 7. stationner : le stationnement 8. recevoir : le reçu

3B 1. vérifier - 2. stationner, s'arrêter - 3. contrôles - 4. circulation - 5. reçu - 6. répare -7. Interdiction

4 1. Nous devons offrir des tarifs avantageux. 2. Vous devez régler la caution ! 3. Il doit louer une voiture. 4. Tu dois faire attention. 5. Les agences doivent contrôler les papiers. 6. Je dois rendre les documents.

5A Vous devrez

5B *devoir au futur simple :* je devrai, tu devras, il devra, nous devrons, vous devrez, ils devront

6 1. d - 2. e - 3. f - 4. a - 5. b - 6. c

7 1. b - 2. c - 3. a - 4. b

8 1. la carte - 2. changer - 3. la pièce - 4. l'agence - 5. passer - 6. la station - 7. offrir - 8. le permis

9 *être :* tu es arrivé(e) : arriver - il est monté : monter - elle est passée : passer - nous sommes descendu(e)s : descendre - vous êtes venu(e)s : venir - ils sont partis : partir - elles se sont levées : se lever -

avoir : tu as vérifié : vérifier - il a dû : devoir - elle a pu : pouvoir - nous avons rendu : rendre - vous avez obtenu : obtenir - ils ont ouvert : ouvrir - elles ont choisi : choisir

10 5, 8, 12, 4, 1, 3, 10, 9, 2, 6, 11, 7

11 1. elles se sont trouvées 2. je me suis excusé(e) 3.vous vous êtes rencontrés(es) 4. il s'est implanté 5. tu t'es servi(e) 6. ils se sont revus 7. nous nous sommes aimé(e)s

12 *avoir :* Il a loué une voiture à Nice. - Il a rendu la voiture à Paris. - Elle a déjeuné. - J'ai garé mon camion. - Le douanier a fouillé mon chargement. - Vous avez livré des pièces détachées.
être : Elle s'est levée. - Elle s'est lavée. - Elle est partie travailler. - Je suis arrivé(e) à la douane. - Vous êtes allés(es) à Toulouse.

13A 1. ... mais cette semaine je ne suis pas allé(e) au cinéma. 2. ... mais ce mois-ci nous n'avons pas joué aux cartes. 3. ... mais ce week-end je n'ai pas fait la cuisine. 4. ... mais cette semaine elle est venue me voir. 5. ... mais hier je n'ai pas vu mon patron. 6. ... mais hier j'ai bu un apéritif. 7. ... mais en 1996 je ne suis pas descendu(e) à l'hôtel.

UNITÉ 11

1 1. C'est au collège que j'ai appris le français. 2. C'est le chef de publicité que tu as rencontré au café ? 3. C'est la grande chambre bleue qu'elle voudrait réserver. 4. C'est mon permis de conduire qu'il veut voir. 5. C'est ce document que vous désirez lire ? 6. C'est à la chambre de commerce que nous nous rencontrerons. 7. C'est le mardi que les musées sont fermés.

2A 1. Je n'ai jamais animé de groupes de travail. 2. Je n'ai jamais suivi de cours de formation à la vente. 3. Je n'ai jamais été chargé(e) d'une mission secrète. 4. Je n'ai jamais déjeuné avec James Bond. 5. Je ne suis jamais monté(e) dans le TGV. 6. Je ne suis jamais descendu(e) dans un grand hôtel. 7. Je n'ai jamais rendu visite au Président de la République Française. 8. Je ne suis jamais allé(e) à Noël à la Guadeloupe.

3 1. Oui, elle y va avec Jean. 2. Ils y sont restés trois jours. 3. Tu y prends quatre filets de sole. 4. Non, je n'y suis pas encore passé. 5. Nous y sommes implantés depuis deux ans. 6. Je n'y ai rien acheté. 7. Ils n'y reviendront jamais.

4A 1. Tu connais la ville d'Orléans ? 2. Si on y allait ensemble le week-end prochain ? 3. Ça te dit de visiter le centre Charles Péguy et la maison de Jeanne d'Arc ? 4. On y va en voiture ou en train ? 5. Le soir, on pourra dîner dans un restaurant du quartier Saint-Paul ?
4B a. 5 - b. 4 - c. 1 - d. 3 - e. 2

5 2. Je roule à 50 km/h, pas plus, à cause des contrôles de vitesse. 3. Ce musée est très connu à cause de son architecture orientale. 4. Le chef n'est pas arrivé à l'heure à cause de la circulation. 5.Nous ne sommes pas partis à cause du mauvais temps. 6. On a fini aujourd'hui à 20 heures à cause d'une réunion de travail. 7. Maintenant je travaille beaucoup plus à cause d'une nouvelle organisation du travail.

6B b. va - c. ensemble - d. chéquier - e. supplément - f. accès

7 *Solutions possibles :* a. 1. Le taxi est moins rapide que le bus et le métro. 2. Le métro et le bus sont plus rapides que le taxi. 3. Le bus n'est pas aussi rapide que le métro. 4. Le métro est le plus rapide des trois transports de Paris. -
b. 1. Le musée de la photographie à Bièvres est moins célèbre que le Louvre à Paris et le Prado à Madrid. 2. Le Louvre à Paris et le Padro à Madrid sont plus célèbres que le musée de la photographie à Bièvres. 3. Le musée de la photographie à Bièvres n'est pas aussi célèbre que le Prado à Madrid. 4. Le Louvre à Paris est le plus célèbre des trois musées.

8 *Solutions possibles :* 2. Nous devons essayer de vendre nos produits en Asie. 3. L'entreprise envisage de moderniser les services administratifs. 4. Elle s'est arrêtée de faire des présentations de produits. 5. Comme toujours le patron proposera de travailler plus pour moins d'argent. 6. Nous avons décidé de financer une salle de sport. 7. Je vous interdis de parler avec les journaux de cette réunion secrète.

9A d'abord - je m'excuse - tu vas - on dit - je suis monté - j'ai trouvé - plus...que - J'habite - J'ai acheté - fenêtre - je peux - je suis - record - tu voudras/veux - Je te ferai - pleines - On visitera - bateau-mouche - Nous marcherons - Je connais - bons - Tu seras - Je t'attends

9B *Réponse possible :* Cher Édouard, Je te remercie beaucoup pour ta lettre et ton invitation. Je ne connais pas encore bien Paris. Cela me plairait beaucoup d'y aller et de découvrir cette immense ville. Je rêve de visiter le Louvre, le musée d'Orsay, le musée Picasso, tous les musées ; comme tu le sais, j'adore l'art. Je pense que je pourrai venir le week-end du 10 au 13 octobre. Est-ce que cette date te convient ? Je suis très heureuse de te revoir et je suis sûre que nous passerons un très bon week-end. Je te raconterai tout ce que j'ai fait depuis notre dernière rencontre. Charlotte qui pense à toi.

10 1. Vous savez que... - Et je sais qui... - 2. Vous savez combien... - Je ne sais pas... - 3. Maintenant elle sait comment... - 4. ... nous savons enfin à qui... - 5. Tu sais que... - Oui, je sais... - 6. ... Ils ne savent même pas où... 7. Il sait quand... - 8. Nous savons quelle...

11 1. c - 2. b - 3. b - 4. a - 5. a - 6. b - 7. b - 8. c

UNITÉ 12

1A 1. Cet exercice, ça se fait comment ? 2. Cette porte, ça se ferme comment ? 3. Le code de la route, ça s'apprend comment ? 4. La facture, ça se règle comment ? 5. Les fleurs, ça s'offre comment ? 6. Une roue, ça se change comment ? 7. Ces poissons, ça se cuisine comment ?
1B 1. Comment fait-on cet exercice ? 2. Comment ferme-t-on cette porte ? 3. Comment apprend-on le code de la route ? 4. Comment règle-t-on la facture ? 5. Comment offre-t-on les fleurs ? 6. Comment change-t-on une roue ? 7. Comment cuisine-t-on ces poissons ?

2 1. Je voudrais un rendez-vous. / Aujourd'hui ? À 10 heures ? / Oui, ça ira. - 2. Ça s'écrit comment ? / D.E.K.N.U.Y.D.T. / Vous pouvez répéter, s'il vous plaît ? - 3. Vous toussez ? / Oui, beaucoup. / Prenez ce sirop. - 4. Docteur, j'ai mal à la tête. / Depuis quand ? / Depuis trois jours. - 5. Qu'est-ce que vous avez ? / J'ai mal au ventre. / Ça doit être une indigestion.

3 1. Monique se fera inviter par Gérard. 2. Le malade se fait endormir par le médecin. 3. Nous nous faisons indiquer le chemin par la téléphoniste. 4. Je me ferai appeler par le comptable. 5. Les ingénieurs se feront apporter les documents par la secrétaire. 6. Je me fais faire un pantalon par Christo Ordi. 7. Un chauffeur de taxi se fait héler par deux touristes.

4 *Il faut :* manger des fruits et des légumes, aller au bureau à pied, faire du sport, prendre des fortifiants, aller au lit pas trop tard, boire beaucoup d'eau. - *Il ne faut pas :* boire beaucoup de vin, travailler quand on a sommeil, sortir tous les soirs, fumer 20 cigarettes par jour, manger 8 pâtisseries par jour, dépendre des médicaments.

5 1. e - 2. g - 3. f - 4. a - 5. h - 6. b - 7. d - 8. c

6 1. moi - 2. eux - 3. toi - 4. elles - 5. vous - 6. elle - 7. nous - 8. lui

7 2. C'est un témoin. 3. C'est une feuille de maladie. 4. C'est une moto. 5. C'est un pharmacien ou une pharmacienne. 6. C'est un réverbère.

8 1. de - 2. à, au - 3. de - 4. à - 5. aux - 6. de - 7. au, de - 8. du, de

9 1. conduisant, conduire 2. tombant, tomber 3. buvant, boire 4. voyant, voire 5. remplissant, remplir 6. connaissant, connaître

10 2. En prenant - 3. en croquant - 4. en écrivant - 5. En tournant - 6. En déplaçant - 7. en dessinant - 8. en écoutant - 9. en faisant

UNITÉ 13

1 1. en réunion 2. en congé de maladie 3. en vacances 4. en voyage d'affaires 5. en stage

2A *(adj. au masculin, adj. au féminin, adverbes) :* 1. rapide, rapide, rapidement - 2. malheureux, malheureuse, malheureusement - 3. efficace, efficace, efficacement - 4. certain, certaine, certainement - 5. direct, directe, directement - 6. énorme, énorme, énormément - 7. avantageux, avantageuse, avantageusement - 8. prochain, prochaine, prochainement
2B 1. Malheureusement 2. directe, énormément 3. efficace, rapidement 4. prochainement 5. certain, avantageusement

3 1. Bonnes vacances. 2. Bon voyage. 3. Bonne route. 4. Bonne soirée. 5. Bonne nuit. 6. Bon anniversaire. 7. Bonne et heureuse année.

4

Infinitif + personne	Futur simple	Cond. présent
1. être: je	serai	serais
2. avoir : tu	auras	aurais
3. venir : il	viendra	viendrait
4. aller : elle	ira	irait
5. rappeler : on	rappellera	rappellerait
6. faire : vous	ferez	feriez
7. payer : nous	payerons/paierons	payerions/paierions
8. voir : ils	verront	verraient
9. savoir : elles	sauront	sauraient
10. devoir : je	devrai	devrais

5 *Solutions possibles :*

5A 1. Je voudrais des espèces. 2. Je voudrais retirer de l'argent. 3. Ils voudraient une glace. 4. Il voudrait un steak à point. 5. Nous voudrions visiter le Louvre.

5B 1. Vous auriez le programme du voyage ? 2. Tu pourrais prendre les appels pendant mon absence ? 3. Mademoiselle Lupin, vous pourriez nous servir le café ? 4. Vous sauriez où est le document marqué confidentiel ? 5. Vous voudriez traduire cette lettre en allemand ?

5C 1. Vous devriez compléter cette documentation. 2. Elle devrait faire un stage de formation. 3. Vous devriez contacter au plus vite Marceau. 4. Ils devraient suivre vos conseils. 5. Tu devrais parler au chef de production.

5D 1. Tu aimerais passer trois mois au Canada. 2. Nous aimerions visiter votre nouvelle usine. 3. Il aimerait faire du théâtre. 4. J'aimerais avoir plus de loisirs. 5. J'aimerais connaître le Danemark.

6 1. Ça va ? 2. Tu as passé de bonnes vacances ? 3. Pourrais-je parler au chef des ventes ? 4. De la part de qui ? 5. Quand est-ce que je pourrai le joindre ? 6. Comment vont les affaires ?

7 1. sa place 2. ses clients 3. leur proposition 4. ses rapports 5. Son adjoint 6. leurs apports 7. sa secrétaire 8. Leurs actions 9. Leur capital

UNITÉ 14

1 1. Je désirerais un emploi à temps complet. 2. Je voudrais faire quelque chose de plus intéressant. 3. J'aimerais mettre mon expérience professionnelle à votre service. 4. Je voudrais travailler avec une équipe efficace. 5. Je désirerais travailler dans une entreprise internationale. 6. Je voudrais être au service d'une entreprise aussi reconnue que la vôtre. 7. J'aimerais me joindre à l'équipe de vos collaborateurs. 8. Je désirerais mettre en pratique ma formation d'ingénieur dans votre société.

2 1. Comment - 3. Qu'est-ce que - 5. Pourquoi - Qu'est-ce que
7. Pourquoi 8. Qu'est-ce que 9. Qu'est-ce qu', pourquoi 11. Comment

3 1. Non, je ne connais aucun candidat personnellement. 2. Non, ils ne parlent aucune langue étrangère. 3. Non, je n'ai obtenu aucun renseignement supplémentaire sur eux. 4. Non, ils n'ont aucune activité extra-professionnelle. 5. Non, ils n'ont vu aucun inconvénient à se présenter samedi matin. 6. Non, il n'y a aucune femme dans les candidats.

4 1. Marie et Jean viennent de se présenter à un emploi de comptable chez BABOUT. 2. La société BABOUT vient de s'implanter en Hollande. 3. Nous venons de recevoir des renseignements très intéressants sur cette société. 4. Alors comme ça, vous venez de faire la connaissance de son P-DG. 5. Tu viens d'être embauchée chez BABOUT ? C'est super !

5 *Questions possibles :* 1. Quelle est la place de votre entreprise sur le marché ? 2. Comment formez-vous votre personnel ? 3. Combien de temps dure la période d'essai ? 4. Est-ce que vous envisagez un salaire plus important après la période d'essai ? 5. Quelles sont vos conditions ? 6. Est-ce qu'il y aura d'autres entretiens après celui-ci ? 7. Quand pourrez-vous me donner une réponse ? 8. Comment me préviendrez-vous ?

6 1. Oui, je la préviendrai de son retour. 2. Non, je n'en fais pas beaucoup. 3. Oui, elle l'acceptera. 4. Non, nous n'en avons pas assez. 5. Non, il ne les rappellera pas. 6. Non, je n'en ai plus. 7. Oui, j'en suis responsable. 8. Oui, bien sûr je la comprends maintenaant.

Achevé d'imprimer sur les presses de JOUVE - N° d'impression : 272850W
Dépôt légal : 7745-09/99. - Collection n° 27. - Édition n°03 15/5084/7